SHŌNEN CHAMPION COMICS

BEASTARS
Vol.1

Paru Itagaki

BEASTARS Vol.1 CONTENTS

第《だい》1話《わ》／満月《まんげつ》なのでご紹介《しょうかい》します

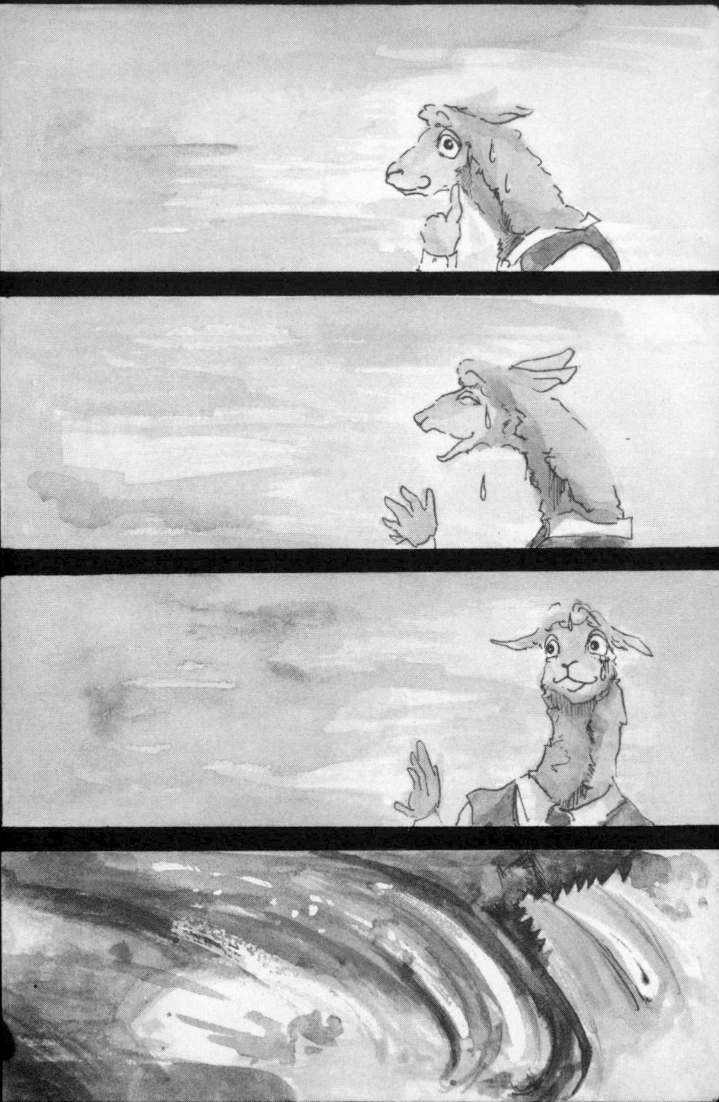

第《だい》1話《わ》／満月《まんげつ》なのでご紹介《しょうかい》します

Cherryton
schoo
タッ
タッ
タッ
ハァ
ハァ
ハァ
タッ
タッ
どうして今《いま》…!!!
バッ

あいつの本性《ほんしょう》が…!!!
ギシ…
ギシ…
ハッ
ギシ…
サッ
分《わ》かっていた
心《こころ》のどこかで
みんな分《わ》かってたさ!!
ギシ…
ギシ…

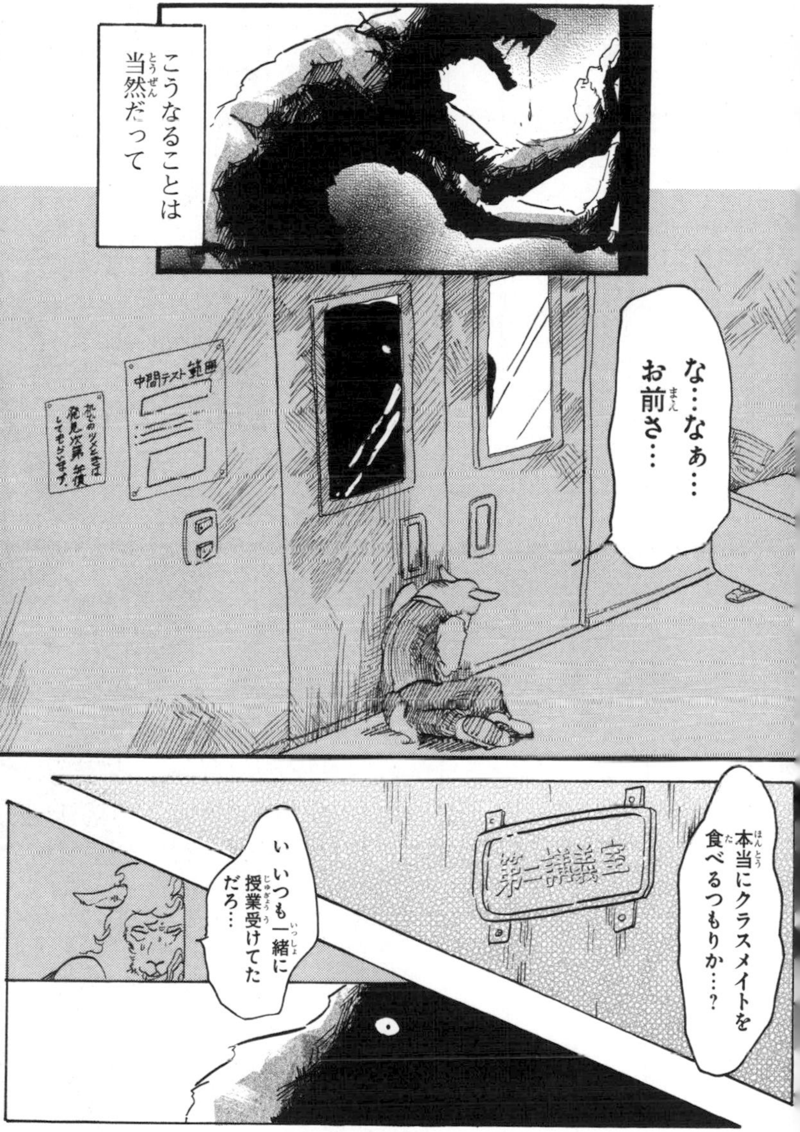
こうなることは
当然《とうぜん》だって
中間テスト範囲
な…なあ…
お前《まえ》さ…
本当《ほんとう》にクラスメイトを
食《た》べるつもりか…？
第二講義室
い いつも一緒《いっしょ》に
授業《じゅぎょう》受けてた
だろ…

それとも…
ヒッ
…ッ
そ そうか
お前《まえ》は…
元《もと》から俺《おれ》たちのことを
クラスメイトとしてなんか
見《み》ちゃいないんだな!?
お前《まえ》たち肉食動物《にくしょくどうぶつ》にとって
俺《おれ》たちは

しょせん食《く》い物《もの》なんだ
……
そんなわけがあるか

下等《かとう》なのは そっちの方《ほう》だぞ
お前《まえ》ら 肉食獣《にくしょくじゅう》なんて みんな怪物《かいぶつ》だ
あぁ…
僕《ぼく》は

まだ
やり残《のこ》している
ことが…

ハイッ ジョーカー
ペっ
あぁ〜!! やられたァ
道具《どうぐ》の片付《かたづ》け お前《まえ》なー
ミグノはいっつも 顔《かお》に出《で》るー
宿題《しゅくだい》忘《わす》れて 早朝清掃《そうちょうせいそう》ってさー やってらんねーよ
ましてや こっちは 草食寮《そうしょくりょう》の 領域《りょういき》だろー? なんで俺たちが…

あっ
リサちゃん おはよー!
どうしたの
こんな早《はや》くに
校舎《こうしゃ》に忘《わす》れ物《もの》でも
してきたの?
まだ閉《し》まってる
みたいだよ
ぷいっ
あれ… 俺《おれ》って
分《わ》かんなかったのかな…
ポジティブな奴《やつ》
お前《まえ》
何《なに》かしたんじゃねぇの

いや…
…なんか変《へん》だぞ
え あれ なんだ なんだ
みんな寮《りょう》から出《で》てくる…
みんな校舎《こうしゃ》から離《はな》れて───!!!
先生方《せんせいがた》 生徒《せいと》を寮《りょう》に帰《かえ》してくださいよ
KEEP OUT
KEEP OUT
POLICE

ねぇアノン!! 本当《ほんとう》だった…
殺《ころ》されてたの テムだって…
ウソでしょ…!? 昨日《きのう》まで一緒《いっしょ》だったわ…
な 何《なに》があったの?
こんな早朝《そうちょう》に
オスアルパカの テムが 亡《な》くなってたの
第《だい》二講《こう》義《ぎ》室《しつ》で…

警察《けいさつ》はこの学校《がっこう》の肉食獣《にくしょくじゅう》が怪《あや》しいって…
言《い》ってたわよ…
演劇部 連絡ノート
そ それ…僕《ぼく》らに言《い》ってるんじゃないでしょ？
あなたたちのルームメイトにいるでしょう？レゴシってハイイロオオカミ…部活《ぶかつ》のノート渡《わた》しておいて

え…今日《きょう》
部活《ぶかつ》で渡《わた》せば
いいじゃん
冗談《じょうだん》でしょう？
こんな日《ひ》に大《おお》きな
ハイイロオオカミと
話《はな》せる？
そんなリスクは
ごめんよ

ボリ…
ボリ…
演劇部

ねぇ聞《き》いた？今朝《けさ》亡《な》くなってたアルパカ…部員《ぶいん》のテムだって…
聞《き》いた…まだ全然《ぜんぜん》信《しん》じられないよ本番《ほんばん》は2週間後《しゅうかんご》なのに
ねー クルミ割《わ》れないよ〜
あんたリスならクルミ割《わ》り器《き》くらい持《も》ち歩《ある》きなさいよ
代役《だいやく》立《た》てるしかないね なんか一悶着《ひともんちゃく》ありそう
ガチャ。
全員《ぜんいん》そろってるかな？
ちょっと集《あつ》まってくれ
今日《きょう》は水曜《すいよう》だ…通常《つうじょう》なら部活《ぶかつ》は休《やす》みだが ワケあって部会《ぶかい》を開《ひら》くことにした

みんなもう
知《し》ってると思《おも》うが
今朝方《けさがた》 部員《ぶいん》のテムが…

ど
どうした？お前《まえ》ら
部長《ぶちょう》テムは部活内《ぶかつない》でしか肉食《にくしょく》との関《かか》わりがなかったんですよ？
聞《き》き捨《ず》てならねぇなぁ…俺《おれ》らを疑《うたが》ってるのか？
正直《しょうじき》に言《い》いなさいよ!! テムが今回《こんかい》良《い》い役《やく》をもらったの妬《ねた》んだ奴《やつ》がいたんじゃないの!?
そうよ ありうるわ
お前《まえ》よくそういうこと言《い》えるな!! 大体《だいたい》 草食《そうしょく》ってのはいつもそうだよ!!
被害者《ひがいしゃ》ヅラしていつも裏《うら》でヤバいこと考《かんが》えてるんだろ!!
シマシマ同士でまったく

あら やる気《き》!? 肉食《にくしょく》が草食《そうしょく》に怪我《けが》させると退学処分《たいがくしょぶん》なのご存知《ぞんじ》!?
くっだらねぇ!! おめえらなんざ俺《おれ》の牙《きば》にかける価値《かち》もねぇよ!!
フッ
な 何《なに》!?
どうした?
おい 停電《ていでん》か!?
あ すみません… 照明《しょうめい》の調子《ちょうし》が悪《わる》くて…
パッ

どうぞ…
続《つづ》けてください
レゴシか…
お前《まえ》 テムとよく
ツルんでただろ
何《なに》か知《し》らないか？
……
お…
おい…？

おりて…
こいよ…
……
彼《かれ》は…
無念《むねん》だったと思《おも》います…

やり残《のこ》したことが…たくさんあって
ど どうしてあなたにそんなこと分《わ》かるの？
……

みんなそうでしょう… 今《いま》 突然《とつぜん》 自分《じぶん》が死《し》んでしまったら…
ガサゴソ…
誰《だれ》しも未練《みれん》が 残《のこ》るはず…
割《わ》れたよ…
あ ありがとう…
まったくクセのある奴 ばっかだよ…

ひとつ…聞《き》きたいんだ…
エルス…君《きみ》はテムの死《し》をどう思《おも》う?
えっ
わ 私《わたし》!?
哀《かな》しいかい…?
ど どうして私《わたし》に聞《き》くの?
テムくんと話《はな》したことなんてそんなに…
…か…

哀《かな》しいとは…思《おも》うわ…
………
新入生
歓迎公演
ねぇ どうしてレゴシくん私《わたし》にあんなこと聞《き》いてきたのかしら…
美術《びじゅつ》チームで変《か》わった子《こ》だったけど…さすがに異様《いよう》だったわね…
私《わたし》怖《こわ》い…彼《かれ》が何《なに》を考《かんが》えてるのか…

今日《きょう》の部会中《ぶかいちゅう》もずっと私《わたし》のこと見《み》てたの…
獲物《えもの》を見《み》る目《め》だった
「次《つぎ》はお前《まえ》だ」って言《い》ってるのよあのオオカミ　頭《あたま》おかしいわ
可哀相《かわいそう》に
そんなまさか…エルス　元気出《げんきだ》して
オス更衣室
部員《ぶいん》が死《し》んだ日《ひ》にどうして言《い》い争《あらそ》いが起《お》きるんだよ…これが強豪演劇部《きょうごうえんげきぶ》の実情《じつじょう》か…

代役《だいやく》をどう立《た》てるか…だよな
早《はや》めに決《き》めないとまずいッスよ
!
おっレゴシ
早《はや》いな もう帰《かえ》りか？
マットの搬出があるので
大型肉食、草食の生徒の手伝い
募集します。お願いします。
ええ まあ…

スポットライトA《エー》は今日《きょう》 修理《しゅうり》完了《かんりょう》しましたお疲《つか》れ様《さま》です
あ サンキューおつかれー
あっ おい…っ
お前《まえ》
なんスか…
今《いま》 テムのロッカー開《あ》けてただろ⁉
ここだったよな何《なに》してたんだ
今日《きょう》の部会《ぶかい》での様子《ようす》といい正直《しょうじき》お前《まえ》怪《あや》しすぎるぞ…
死《し》んだ友達《ともだち》のロッカー開《あ》けて何《なに》してたんだ？
…貸《か》してた本《ほん》を取《と》り出《だ》しただけです
ロッカーに入《い》れてるって聞《き》いてたから…

ハーイハイ!!
もう!! 争《あらそ》いはこりごりよ
ロッカールームの使い方～
レゴシがこう 言《い》うんだから みんな信《しん》じよう
レゴシ
お前《まえ》を疑《うたが》っちゃいないけど 今《いま》の姿《すがた》を草食《そうしょく》に見《み》られたら おしまいだったぞ
大型肉食《おおがたにくしょく》の自覚《じかく》を 持《も》って… もう少《すこ》し用心《ようじん》して 行動《こうどう》してくれよ
…
疑《うたが》われるのは 慣《な》れています 俺《おれ》はやらなきゃいけないことが あるので失礼《しつれい》します
ANM48
あ おい!! お前《まえ》 態度《たいど》悪《わる》いぞ部長《ぶちょう》に

……
ハァ…
満月《まんげつ》だ…
テム…

…そうだな
無念《むねん》は必《かなら》ず晴《は》らす
やるなら…
今日《きょう》だ…
どう？ エルス… 少《すこ》しは落《お》ちついた？
ありがとう… 部活《ぶかつ》終《お》わったし もう大丈夫《だいじょうぶ》… でも明日《あした》も様子《ようす》が 変《か》わらなかったら… 私《わたし》どうすれば…

そしたら私《わたし》たちからもレゴシくんに言《い》うわ話《はなし》が分《わ》からない子《こ》じゃないから彼《かれ》は
慎重《しんちょう》なのは大事《だいじ》だけど気《き》に病《や》むときりがないわ
そうかな…
そう…よね…
思《おも》い返《かえ》してもレゴシくんが私《わたし》を狙《ねら》う理由《りゆう》なんてないし彼《かれ》 元《もと》から変《か》わってるしね
そうそう
なんか私《わたし》考《かんが》えすぎたかも
テムはアルパカあなたはアンゴラヒツジ…2匹《ひき》の羊毛《ようもう》つながりがどうしても気《き》になるし
あのレゴシくんは普通《ふつう》ではなかった…あまりエルスを1匹《ぴき》で行動《こうどう》させないようにしよう

じゃあ明日《あした》ね！ 怖《こわ》くなったらいつでも私《わたし》たちの部屋《へや》にいらっしゃいよ 原猿類《げんえんるい》はみんな明《あか》るくて楽《たの》しいから
ふふっ ありがとう 明日《あした》ね〜
早《はや》く寮《りょう》に戻《もど》ろ…
哀《かな》しいかい？
…
そりゃあ哀《かな》しいわ…
襲《おそ》われた瞬間《しゅんかん》のテムの恐怖《きょうふ》も… 想像《そうぞう》もつかない…
きっとこのくらい遅《おそ》い時間《じかん》…
いや もっと夜中《よなか》に…
あっ私《わたし》…腕《うで》時計《どけい》
稽古場《けいこば》だわ！
カレからのプレゼントなのに！

もうーみんな工具《こうぐ》置《お》きっ放《ぱな》しで危《あぶ》ないな…
真《ま》っ暗《くら》だわ…腕時計《うでどけい》 壇上《だんじょう》かな…
カッ
どうしたの？エルス
…

電気《でんき》もつけないで
ど…どうして…ここにいるの？レゴシくん
…君《きみ》と2匹《ひき》きりになる必要《ひつよう》があった
稽古場《けいこば》に戻《もど》る姿《すがた》を見《み》て先回《さきまわ》りしたんだ

このスポットはテムの見《み》せ場《ば》で当《あ》てるつもりだったんだ…
羊毛《ようもう》を綺麗《きれい》に照《て》らす加工《かこう》を施《ほどこ》している…
まるでテムがそこに立《た》っているみたいだ…
照《て》らさないで…お願《ねが》い来《こ》ないで…
スタッ
え どうして？俺《おれ》何《なに》か怒《おこ》らせること言《い》ったかな…
私《わたし》 怖《こわ》い…今日《きょう》あなたの様子《ようす》がおかしいとは思《おも》ってたのよ…

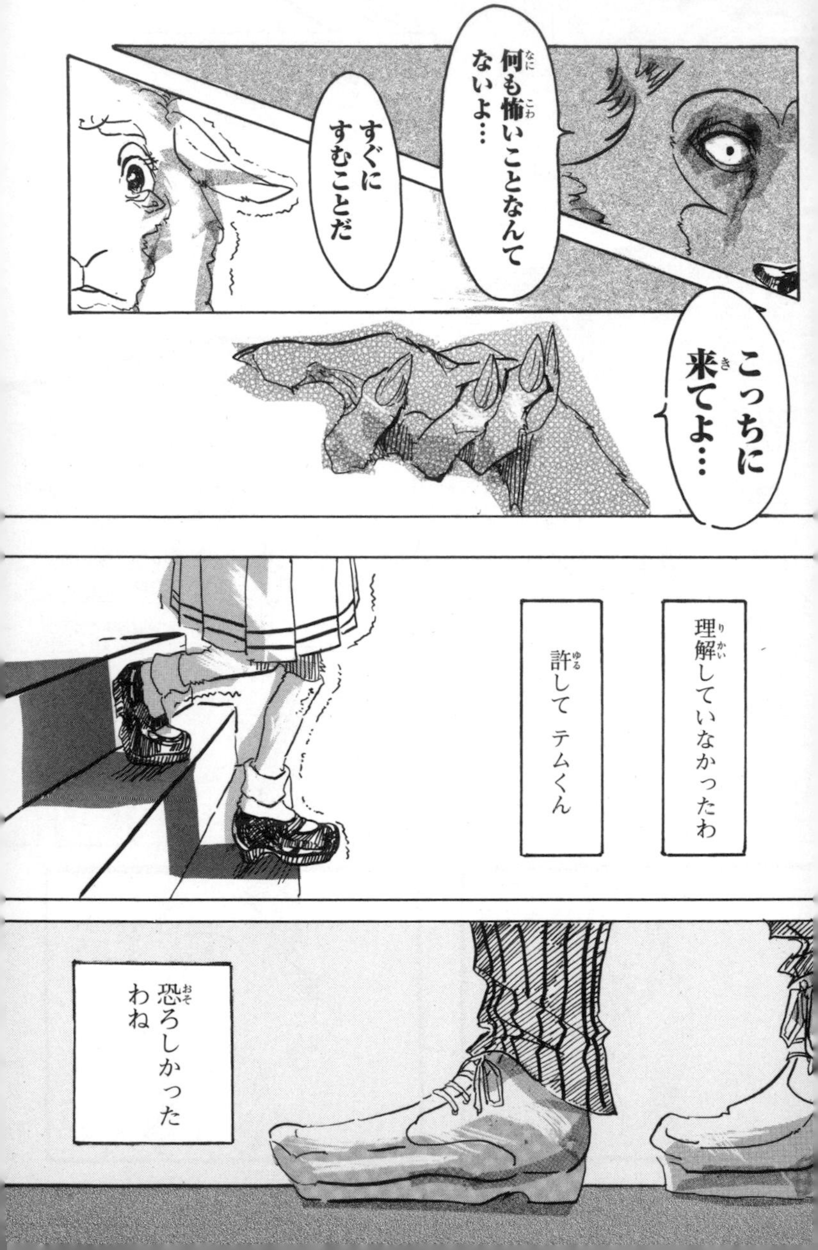
何《なに》も怖《こわ》いことなんてないよ…
すぐにすむことだ
こっちに来《き》てよ…
理解《りかい》していなかったわ
許《ゆる》して テムくん
恐《おそ》ろしかったわね

大丈夫《だいじょうぶ》よ
あなたの分《ぶん》も
私《わたし》 負《ま》けないわ

普段《ふだん》は友達《ともだち》の振《ふ》りをして
お腹《なか》が減《へ》ったらエサ…？
…
なめないでよ
テムくんも
私《わたし》も
コッ
コッ

あなたが思《おも》うより…
ツカ
ツカ
ツカ
ずっと…
ツカ

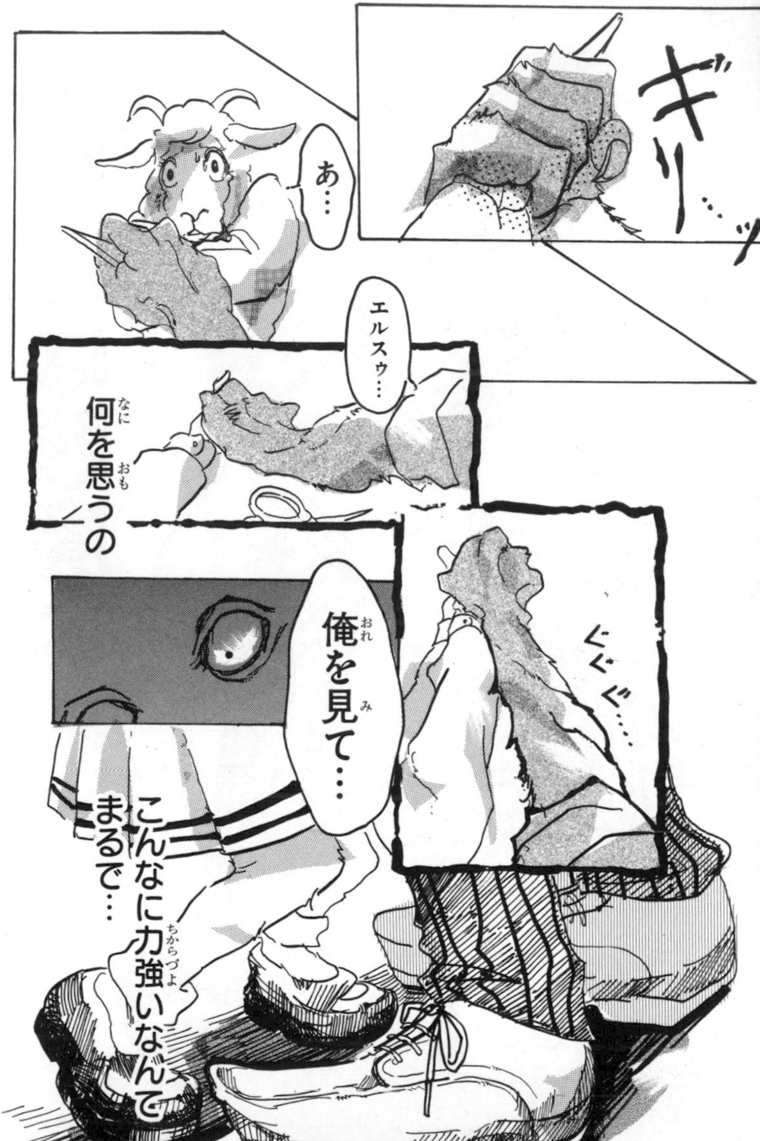
ギリ…ッ
あ…
エルスゥ…
何《なに》を思《おも》うの
ぐぐぐ…
俺《おれ》を見《み》て…
こんなに力強《ちからづよ》いなんて
まるで…

あなたは悪《あく》魔《ま》よ

私《わたし》・・・
本当《ほんとう》に
これで
終《お》わ・・・
ス…ッ

……
…拾《ひろ》って その封筒《ふうとう》
…えっ!?
君《きみ》が受《う》け取《と》るものだ 手《て》に取《と》って
…
エルスちゃんへ
テムより

…
これは…
ラブレター…
テムがずっと君《きみ》に渡《わた》せなかった
…
まさか
あなた
これを…
渡《わた》したかったの…?

コクン…
あいつがいつもモタついて毎日《まいにち》それをロッカーに戻《もど》してるの知《し》ってたんだ よく一緒《いっしょ》にいて
…
あ〜!! また渡《わた》せなかった
また戻《もど》してる
今日《きょう》じゃなかったんだ タイミングがちょっと…
だ 大丈夫《だいじょうぶ》だ
ここぞって時《とき》に必《かなら》ず伝《つた》える!! この想《おも》いを!
[redacted]

ごめん…伝《つた》えるべきじゃなかったかな…やっぱり…
…胸《むね》にしまっておくことは
出来《でき》なかったでしょう
出来《でき》なかった
とにかく…みんなに知《し》られたらテムが嫌《いや》がると思《おも》って…なんとか君《きみ》と2匹《ひき》きりになって渡《わた》したかったんだ
そうだったの
ザワ ザワ

…なんて不器用《ぶきよう》なの
でも…優《やさ》しい子《こ》…
驚《おどろ》かされたけど…ありがとう
この手紙《てがみ》は…大切《たいせつ》にしまっておく
今日《きょう》はなんていうか 申《もう》し訳《わけ》なかったね… また明日《あした》
ええ 明日《あした》
あ
ねえ!

私《わたし》 今日《きょう》
更衣室《こういしつ》で女子部員《じょしぶいん》に
あなたの悪口《わるくち》を
言《い》ってしまったの
明日《あした》
撤回《てっかい》しておくわね…
だから許《ゆる》して…
撤回《てっかい》
…しないでいい
ど…どうして？
今夜《こんや》のことはあまり口外《こうがい》
しないで… 亡《な》くなってから
初恋《はつこい》が知《し》れ渡《わた》ったら
テムが気《き》の毒《どく》だから

そ
そうだけど
このままじゃ私《わたし》…
あなたに申《もう》し訳《わけ》ないわ
今《いま》までと特《とく》に変《か》わらないから
大丈夫《だいじょうぶ》
怖《こわ》がられても嫌《きら》われても
そうやって生《い》きてきた
春《はる》の夜風《よかぜ》は
まだ冷《つめ》たい…
友達《ともだち》の死《し》を本気《ほんき》で悼《いた》んでいる背中《せなか》を
私《わたし》は見《み》えなくなるまで見送《みおく》った

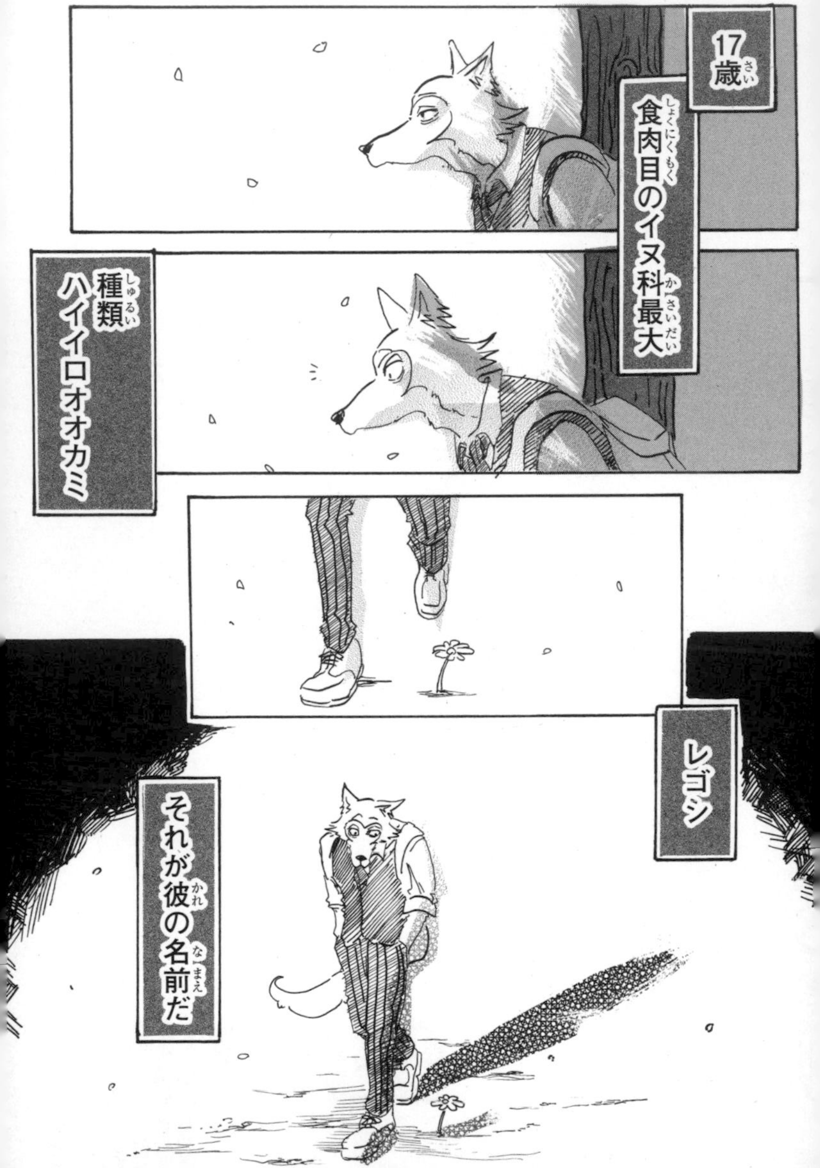
17歳《さい》
食肉目《しょくにくもく》のイヌ科《か》最大《さいだい》
種類《しゅるい》
ハイイロオオカミ
レゴシ
それが彼《かれ》の名前《なまえ》だ

BEASTARS
Vol.1

第《だい》2話《わ》／少《しょう》年《ねん》たちの逆《さか》撫《な》で

干し草ドーナツ
野菜スティッククッキー
テム…君《きみ》が死《し》んでから1週間《しゅうかん》…
今《いま》でも隣《となり》の部屋《へや》から君《きみ》の発声練習《はっせいれんしゅう》が聞《き》こえてくる気《き》がして…耳《みみ》をすませちゃうんだ

あの時《とき》は少《すこ》しうるさく思《おも》ったりしたけど…
これに出演《しゅつえん》するはずだったのか…
アドラー
演劇部
新歓公演
肉食《にくしょく》の生徒《せいと》に食《く》われたって噂《うわさ》…本当《ほんとう》ならヤバくないか?
マルク——!!
よっ
よっ
寮《りょう》帰《かえ》るところ?
あ うん!
イヌ科《か》部屋《べや》のジャック…
アドラー

それ 演劇部《えんげきぶ》のチラシだね
1枚《まい》もらってきちゃった アルパカのテムが部員《ぶいん》だったんだよ
あぁ そうだよね… レゴシも花供《はなそな》えに行《い》ってたな
レゴシってあの…
オオカミの?
うん
あいつも部員《ぶいん》だからさ
…そっか 仲《なか》良《い》いの?
ゴミ出し
うん 幼《おさな》なじみ! イヌ科《か》同士《どうし》で実家《じっか》も隣《となり》
26日《にち》だっけ 演劇部《えんげきぶ》の公演《こうえん》…
そう! 行《い》く?
うお!
バラバラ

そ　それ…全部《ぜんぶ》今日分《きょうぶん》？　君《きみ》の部屋《へや》　ずいぶん郵便《ゆうびん》くるな…
あ…いや…
こんなに手紙《てがみ》くるの…　僕《ぼく》の部屋《へや》だけじゃないんだ
草食《そうしょく》の生徒《せいと》はみんな　最近《さいきん》　実家《じっか》から手紙《てがみ》きてるよ
アルパカが殺《ころ》された　あの事件《じけん》で…　家族《かぞく》はみんな　心配《しんぱい》みたいで…
消火器

…
そ そうか… まぁ 当然《とうぜん》だよな…
おい なんで犬《いぬ》が 草食棟《そうしょくとう》に入《はい》ってるんだよ
やめろよ 俺《おれ》の友達《ともだち》だよ
ごめんなジャック
あーいや… そっか 草食棟《そうしょくとう》か
ごめんごめん 話《はなし》に夢中《むちゅう》になっててつい… もう行《い》くよ
ジャック
ん?

同じイヌ科でも
オオカミやハイエナと同室《どうしつ》って
いうのはヤバいよ…
この世界《せかい》では
友達《ともだち》も慎重《しんちょう》に選《えら》びな
…
お・た・が・い・な!!
ありがとう
…
ブロロー!
パッパー

レゴシ 虫《むし》好《す》きだよね
……
うん
彼女が出来た奴は一生抜け毛掃除!!
目《め》の前《まえ》のことに一所懸命《いっしょけんめい》で 危害《きがい》さえ加《くわ》えなければ 警戒《けいかい》してこないから
…なるほどね…
COOKIES

演劇部《えんげきぶ》のみんなも
活動中《かつどうちゅう》はそうなんだ…
そこが好《す》きで…
あ 新歓公演《しんかんこうえん》
もうすぐだろ？
観《み》に行《い》くよ！
と言《い》っても…
レゴシは今回《こんかい》も
舞台《ぶたい》には…
立《た》たない…んだよなァ〜
やっぱり…
ブンブン
ほんっと
お前《まえ》は小《ちい》さい頃《ころ》からな〜
意思表示《いしひょうじ》はその
デカいしっぽに頼《たよ》りきり
良かったな
オオカミで！
…
今《いま》うなだれてる…
で どんなストーリー
なんだっけ…その
演劇部伝統《えんげきぶでんとう》の演目《えんもく》って
イヌ科部屋 701
ダラム、ケンカに敗けてきて血まみれ
ミグノ、ギターうまいん

『アドラー』ね
アドラーっていうのは ある死神《しにがみ》の名前《なまえ》
そう
主人公《しゅじんこう》なの？
1匹《ぴき》の少女《しょうじょ》の 魂《たましい》を狩《か》りに 来《く》るんだけど…
言《い》いくるめられて その少女《しょうじょ》と死《し》に場所《ばしょ》を 探《さが》す旅《たび》に出《で》るんだ
あっ
分《わ》かった〜 それでアレだろ 死神《しにがみ》と少女《しょうじょ》がちょっと ラブラブな感《かん》じになるんだろー
まぁ 少《すこ》しはね…

旅《たび》の途中《とちゅう》で色々《いろいろ》なものを見《み》て生《い》きる楽《たの》しさを知《し》るけど…結末《けつまつ》では2匹《ひき》とも死《し》んじゃうんだ
レゴシはいつも
独《ひと》り言《ごと》のように静《しず》かに話《はな》す
哀《かな》しい話《はなし》だな…レゴシその話《はなし》好《す》きなの？
悲劇《ひげき》が好《す》きなんだ

共感《きょうかん》して…ただ静《しず》かな気持《きも》ちになったり
おまけに…
おいっ
おはおはーなんの話《はなし》してんのー
……
めちゃくちゃ繊細《せんさい》…
無印獣品
すごく燃えるゴミ

……
アドラー
—台本—
2日前《ふつかまえ》からずっと
あの調子《ちょうし》だろ？
演劇部《えんげきぶ》とは知《し》ってるけど…
あー
そうだったな
何《なに》してるんだ
あいつ
ビスカーチャ
チンチラ
…

俺《おれ》2回《かい》くらい公演《こうえん》観《み》に行《い》ってるけど…あいつ出《で》てたっけな…
一応《いちおう》出《で》てるよ 超《ちょう》〜〜〜脇役《わきやく》だけど
あー目《め》に入《はい》らないわけだ 主役《しゅやく》が光《ひか》りすぎててさー
アレな！ 他《ほか》はつぶされて当然《とうぜん》ていうか…
スクッ
言《い》ってろよ
今《いま》のうちに
演劇《えんげき》部《ぶ》役者《やくしゃ》チーム
カイ（マングース）

演劇部《えんげきぶ》に入《はい》って2年《ねん》…
とうとうこの日《ひ》がやってきた
我慢《がまん》してきたさ ずっとずっと…
2匹《ひき》とも昨日《きのう》のオーディションはお疲《つか》れ様《さま》 水《みず》の精《せい》のオディー役《やく》はテムに決《き》まった
え…っ
頑張《がんば》れよ
あ ありがとう!! 忙《いそが》しくなるなァ
耐《た》えてきた
テム… ありがとうとは言《い》わないが

演劇部
おはようございます
稽古場
俺《おれ》はこのチャンスを逃《のが》さないぜ
あ おはよう

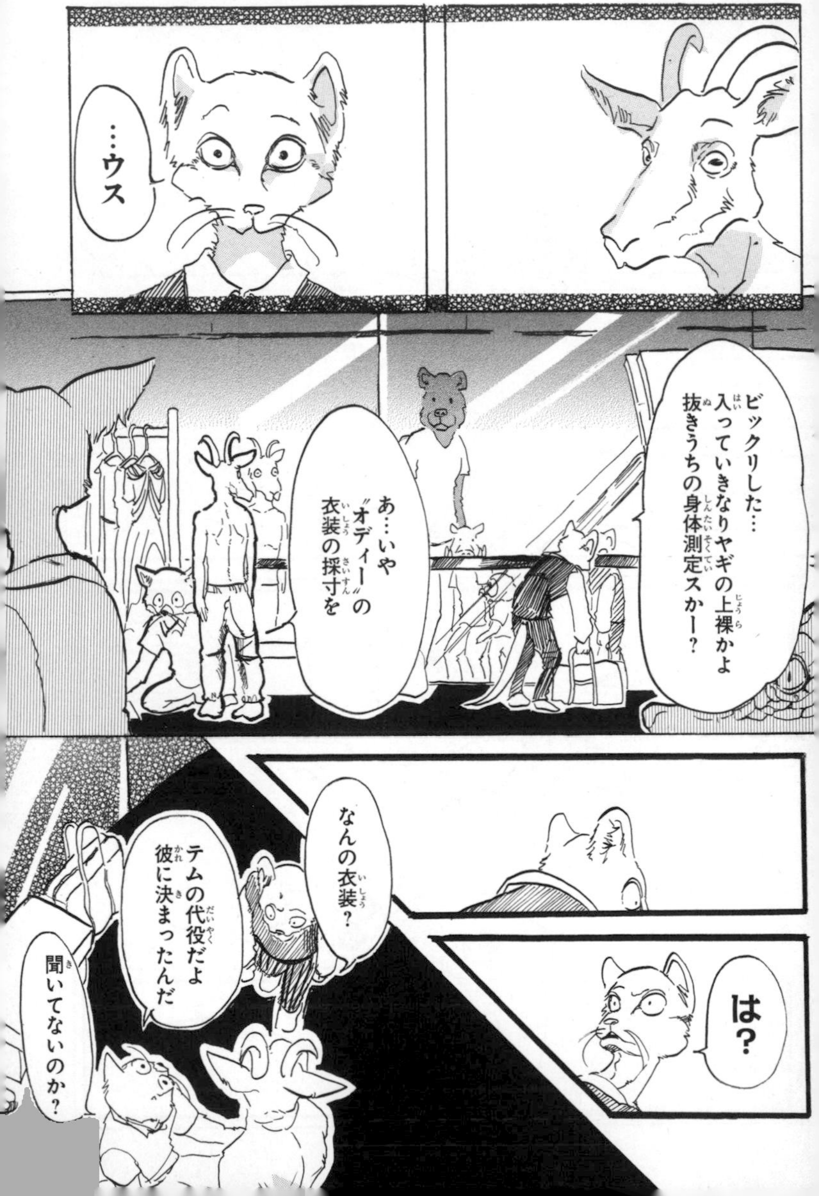
…ウス
ビックリした…
入《はい》っていきなりヤギの上裸《じょうら》かよ
抜《ぬ》きうちの身体測定《しんたいそくてい》スかー?
あ…いや
〝オディー〟の
衣装《いしょう》の採寸《さいすん》を
なんの衣装《いしょう》?
テムの代役《だいやく》だよ
彼《かれ》に決《き》まったんだ
聞《き》いてないのか?
は?

…何《なに》も…
…え？
い いつ…？
…
いつ決《き》まったんスか？
昨日《きのう》 リーダーたちに呼《よ》ばれて 即決《そっけつ》されたんだ 僕《ぼく》も驚《おどろ》いたよ
次《つぎ》やるとしたら オディー役《やく》は 君《きみ》だと思《おも》ってた
だって
君《きみ》 テムと2匹《ひき》で この役《やく》の オーディション 受《う》けてたんだろう

え…いや…俺《おれ》は…
別《べつ》にいいけどさ…
えーでも…なんで？
おかしくね？
ちょっと…
リーダーたちは
どこですか…
直接《ちょくせつ》話《はな》さないと…
あ
待《ま》って
リーダー室
今《いま》 入室禁止《にゅうしつきんし》だって
言《い》ってたぞ
コホン
失礼《しつれい》します!!

先輩《せんぱい》 あの…っ お話《はなし》…が…
役者長《やくしゃちょう》／高等部《こうとうぶ》3年《ねん》
ルイ（アカシカ）
リーダー室
アドラー
ロミオ
……
何《なに》？

リーダー室《しつ》入《はい》る時《とき》は ノックしろよ
…
ジロ…
…
ドフー
おい
レゴシはなんでここに？ 美術《びじゅつ》チームの下《した》っ端《ぱ》がよ
あ いや…
ソォ
この犬《いぬ》コロは俺《おれ》と衣装《いしょう》の最終確認《さいしゅうかくにん》をしていたんだ
えっと…このプリントは置《お》いておきますから 俺《おれ》は失礼《しつれい》します
いや 居《い》ていい

カイ レゴシとは仲良《なかよ》くしておけよ
今後《こんご》同《おな》じチームで頑張《がんば》るんだからな
…え？
お前《まえ》を役者《やくしゃ》チームから降《お》ろすことが会議《かいぎ》で決《き》まった
これからは広報《こうほう》・美術《びじゅつ》チームで裏方《うらかた》として支《ささ》えてもらう

……
ちょっと!
あなたたち!!
柔軟《じゅうなん》は終《お》えたの?
リーダー室
先輩《せんぱい》

リーダーチームの私《わたし》たちでさえ席《せき》を外《はず》してって言《い》われてるのよ？
振《ふ》り付《つ》け長《ちょう》／高等部《こうとうぶ》3年《ねん》
シイラ（ヒョウ）
音楽長《おんがくちょう》／高等部《こうとうぶ》3年《ねん》
モキチ（アナグマ）
新歓公演《しんかんこうえん》はあと2週間《しゅうかん》だぞ！練習練習《れんしゅうれんしゅう》！
ハーイ…
ニヤニヤしてます
こんな時《とき》こそみんなで元気《げんき》出《だ》して！明日《あした》のリハも成功《せいこう》させなきゃ
シイラ先輩《せんぱい》…
どうしたの？

カイ…役者《やくしゃ》チームから外《はず》されちゃうって…
やりすぎですよ…先輩《せんぱい》たちが決《き》めたんですか？
…
仕方《しかた》ないことなのよ…最終決定《さいしゅうけってい》よ…
春風公演《はるかぜこうえん》『アドラー』氷《こおり》の群舞《ぐんぶ》
第《だい》二幕《まく》のステップ
冬期《とうき》サファリ大会《たいかい》『アドラー』
波《なみ》の子《こ》どもたちの舞《まい》ラスト

今《いま》のが呪文《じゅもん》ではないことはお前《まえ》が一番《ばん》わかっているはずだ
なぁカイ
…
2年《ねん》 役者《やくしゃ》チームに在籍《ざいせき》してお前《まえ》が成《な》し遂《と》げたことと言《い》えば今《いま》言《い》った2《ふた》つの本番中《ほんばんちゅう》のミスだ
…ッッ
逆《ぎゃく》にこっちが聞《き》きたいよ なぜテムの代役《だいやく》を勝《か》ち取《と》れると思《おも》…

んだよ テメエごときが…
かってぇ…

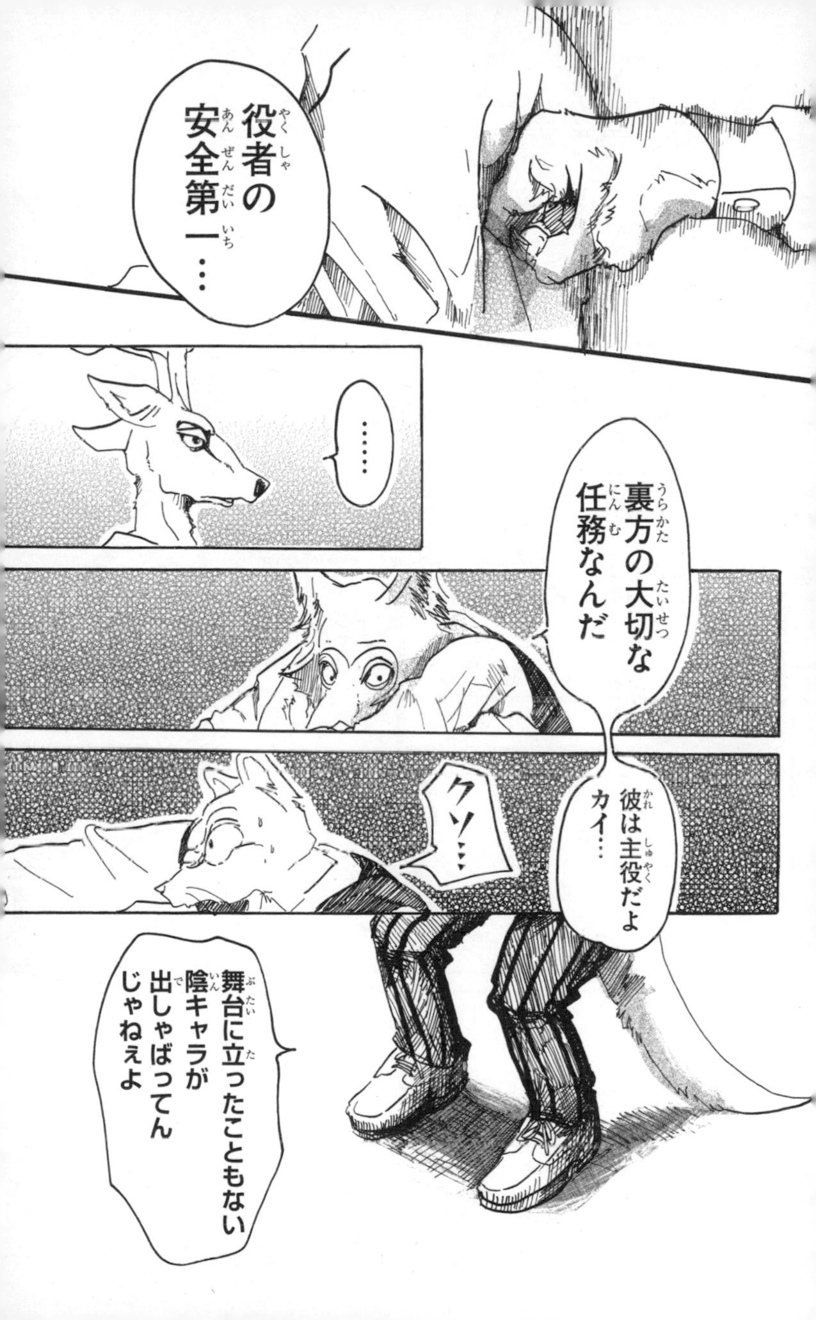

役者《やくしゃ》の安全第一《あんぜんだいいち》…
裏方《うらかた》の大切《たいせつ》な任務《にんむ》なんだ
……
彼《かれ》は主役《しゅやく》だよカイ…
クソ…
舞台《ぶたい》に立《た》ったこともない陰《いん》キャラが出《で》しゃばってんじゃねぇよ

なんなら お前《まえ》をブッ飛《と》ばして …か…
ら…
あ…
あ――――…
いや… ばからしい…な… やめておいてやるよ…
…

ボンボンはいいね　せいぜい一生《いっしょう》守《まも》られていろよ!!
そうさせてもらう
いい加減《かげん》にしないと強制退部《きょうせいたいぶ》だぞ
パタン。
……
……
何《なに》見《み》てんだ!!
……

ボリボリ…
…
じゃあ
俺《おれ》もまだ大道具《おおどうぐ》が完成《かんせい》していないので…
争《あらそ》いを避《さ》けるために自《みずか》らの牙《きば》を見《み》せつけるとは…
いかにも肉食獣《にくしょくじゅう》らしい傲慢《ごうまん》さだな
意外《いがい》だよ 普段《ふだん》 草木《くさき》のような君《きみ》も 獰猛《どうもう》さは秘《ひ》めているらしいな

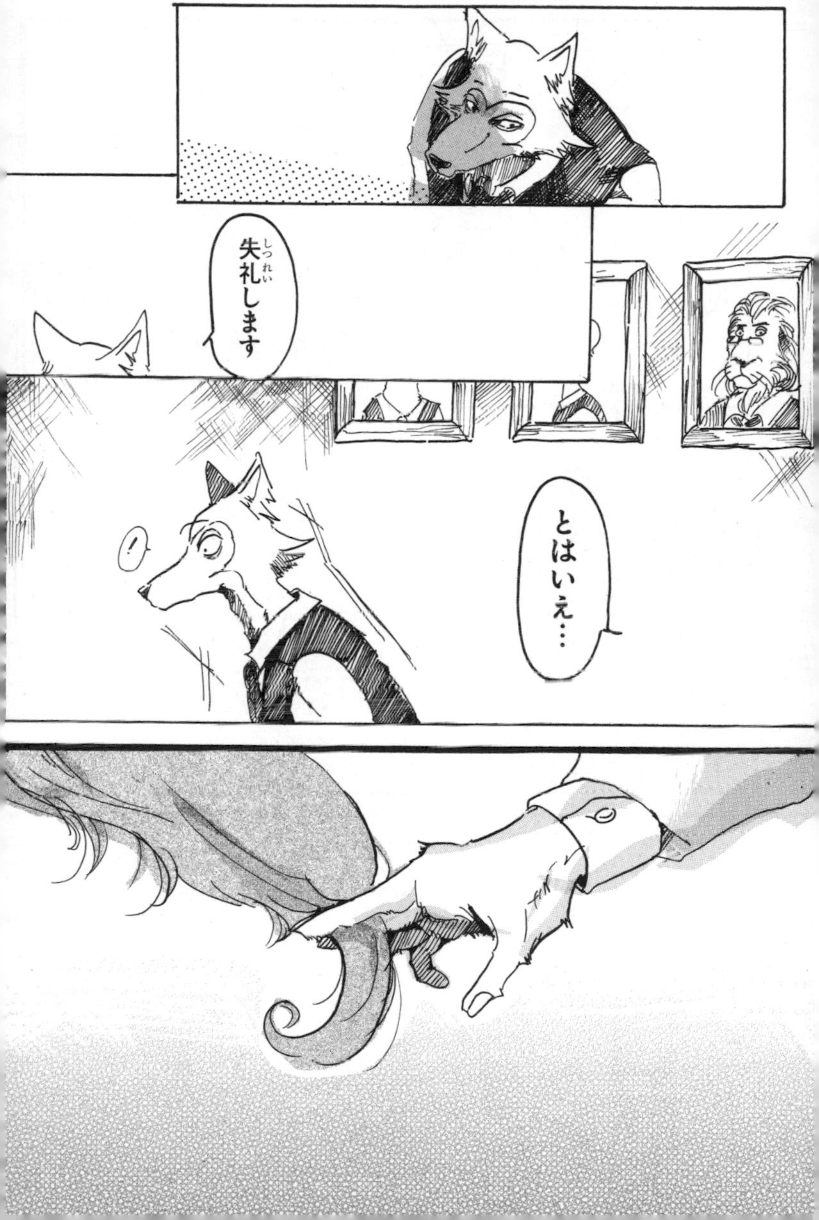
失礼《しつれい》します
とはいえ…
!

君《きみ》は思《おも》ったより話《はなし》が分《わ》かりそうだ
僕《ぼく》に協力《きょうりょく》する気《き》はないかい？

協力《きょうりょく》？
僕《ぼく》ではなくこの演劇部《えんげきぶ》のためだ
オオカミだろ？
Cherryton SCHOOL
少《すこ》しは悪《わる》くなってハクをつけようぜ

第《だい》3話《わ》／霧《きり》の中《なか》の警《けい》鐘《しょう》

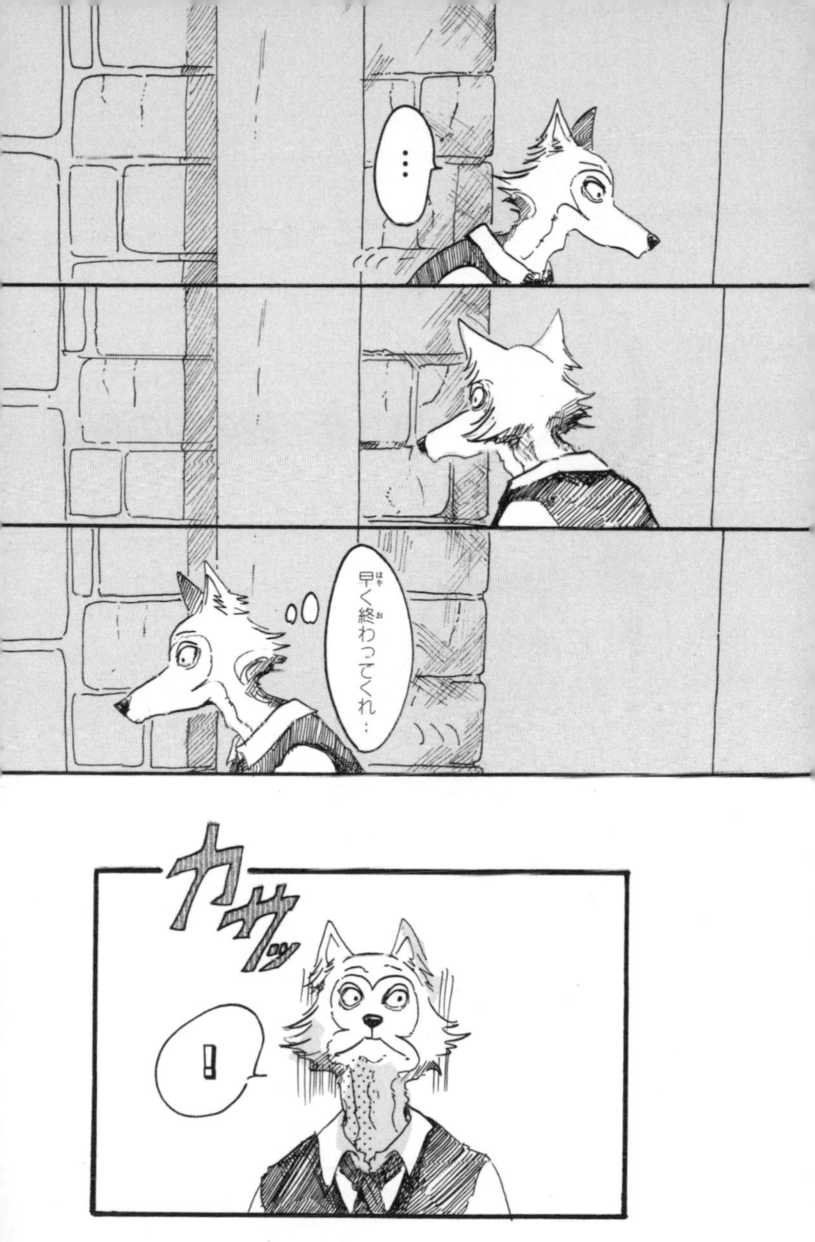
…
早《はや》く終《お》わってくれ‥
ウヴッ
!

虫《むし》か…
何《なに》してるんだよこんな所《ところ》で
それは俺《おれ》の方《ほう》か…

何《なに》してるんだ…
俺《おれ》は…
おいおい
なんだ？この妙《みょう》な空気《くうき》は

この俺《おれ》から直々《じきじき》の申《もう》し出《で》だぞ少《すこ》しは喜《よろこ》べよ
あの…
頼《たの》みごとって…
そう急《いそ》ぐなまぁ聞《き》け
とりあえず
ゾーイくんテムの代役決定《だいやくけってい》おめでとう
あ ありがとうございます！頑張《がんば》ります！

明日《あした》はいよいよ
体育館《たいいくかん》でのリハーサルだ
気《き》を引《ひ》きしめろよ
ハ ハイ!!
もちろんです
仕草《しぐさ》 声《こえ》 目線《めせん》
すみずみまで このアカシカは
心得《こころえ》ているのだろう
もちろん
その魅力《みりょく》が最大《さいだい》に
放出《ほうしゅつ》される場所《ばしょ》も…
彼《かれ》が舞台《ぶたい》に立《た》つと
会場《かいじょう》の空気《くうき》が変《か》わる
観客《かんきゃく》も
裏方《うらかた》も…

バサッ
彼自身《かれじしん》が演《えん》じる主人公《しゅじんこう》
死神《しにがみ》のアドラーの呪《のろ》いに
かかったように…
魅了《みりょう》されて
しまうのだ

このチェリートン学園《がくえん》
演劇部《えんげきぶ》の花形役者《はながたやくしゃ》であり
アドラー
アドラー
アドラー
演劇部
権力者《けんりょくしゃ》である
アカシカのルイ
ひとつ年上《としうえ》なだけなんだけど…
おっかないこのツノとか
毎日《まいにち》どのくらい磨《みが》いてるのかな…
じー……
ここで出会《であ》うとは
皮肉《ひにく》だな
水《みず》の精《せい》オディー

…
え
稽古《けいこ》だ
オディーのセリフを
…
…
代役《だいやく》が決《き》まったのは
昨日《きのう》だ
ゾーイは中等部《ちゅうとうぶ》だし
長《なが》ゼリフはまだ
覚《おぼ》えてないんじゃ…

す…すみません…まだ暗記《あんき》は…
ん？
どうした口《くち》を開《あ》けてみろ
ルルイしぇんふぁい…何《なに》を…
台本《だいほん》を食《く》っちまったんじゃないのか？ゾーイ
君《きみ》たちヤギの能力《のうりょく》といったら雑紙《ざつがみ》を食《く》うことくらいだがこんな所《ところ》でそれを発揮《はっき》されては困《こま》る
ややめてください…!!そんな…食《た》べてなんか…
…

あ 明日《あした》のリハーサルまでには必《かなら》ず…
ぐいっ
いいや
お前《まえ》らの怠《なま》け癖《ぐせ》は知《し》ってる ムダ話《ばなし》はここまでだ 一緒《いっしょ》に来《こ》い
え…どこへ…
体育館《たいいくかん》だよ
今《いま》から忍《しの》び込《こ》んで明日《あした》のリハーサルと同《おな》じように練習《れんしゅう》だ
!?
なんでそこまでして… 夜間侵入《やかんしんにゅう》は校則違反《こうそくいはん》ですよ!? バレたら…
分《わ》からないのか? だから見張《みは》りのために お前《まえ》を呼《よ》んだんだろ

まさかここで断《ことわ》って地味《じみ》にヒーロー気取《きど》りするつもりか？オオカミくん
残念《ざんねん》だね…きっと僕《ぼく》の脚《あし》1本《ぽん》でもくれてやる条件《じょうけん》だったら
君《きみ》はヨダレたらして引《ひ》き受《う》けてくれるんだろうけど…
行《い》くぞ
ハイ…

体育館《たいいくかん》裏門《うらもん》だ 脚《あし》はやれないが 演劇部《えんげきぶ》のために 頼《たの》むよ
…
見《み》られる前《まえ》に 体育館《たいいくかん》に急《いそ》ぐぞ
ハイ…

あ　ありがとう
ございます…
僕《ぼく》なんかのために…
ピタン
！
何《なに》言《い》ってるんだ？
え…
すべては明日《あした》のリハーサルで
他《ほか》の部員《ぶいん》にたどたどしい
やり取《と》りをさらさないためだ
お前《まえ》に割《さ》く時間《じかん》じゃない
ことくらい分《わ》かれよ
俺《おれ》が明日《あした》
恥《はじ》をかかないように
今夜中《こんやじゅう》にすべて
たたきこむからな

中《なか》でビシバシ
やってるんだろうな…
電気《でんき》もつけずに
これバレたら
演劇部活動停止《えんげきぶかつどうていし》
じゃねぇ？
そして俺《おれ》は…
停学《ていがく》か？
サ

…まだ君《きみ》みたいに
水《みず》をひたすら注《そそ》いでる方《ほう》がマシだね
まぁ
こんな夜遅《よるおそ》くに
出歩《である》く奴《やつ》は
そうそういないよな…
あんな事件《じけん》もあった…
し…
くん.
…
!

……草《そう》食《しょく》動《どう》物《ぶつ》だ
居《い》る
近《ちか》くに…
恐《おそ》らく1匹《ぴき》…

まてまて 他《ほか》の情報《じょうほう》を遮断《しゃだん》だ!!
えーと… 体長《たいちょう》は小《ちい》さめ… 草食動物《そうしょくどうぶつ》… 距離《きょり》は大体《だいたい》…
10m《メートル》… くらい…
サッ

マズいぞ…
霧《きり》が濃《こ》くてよく見《み》えないけど…もしかして…
俺《おれ》も…
気《き》付《づ》かれてる…？

…
…
ここで…
俺《おれ》が追《お》えば…
君《きみ》は逃《に》げるのか？

ス…
先《さき》に俺《おれ》が…
ドス…
動《うご》けば…
じり…
ダッ
!?

その瞬間《しゅんかん》
ものの2秒《びょう》
レゴシが
突如《とつじょ》出会《であ》ってしまったものは

小《ちい》さな
小《ちい》さな
1匹《ぴき》のウサギと
自分《じぶん》の本能《ほんのう》だった

第《だい》4話《わ》／ウサギ史《し》上《じょう》でもかなり悪《わる》い日《ひ》

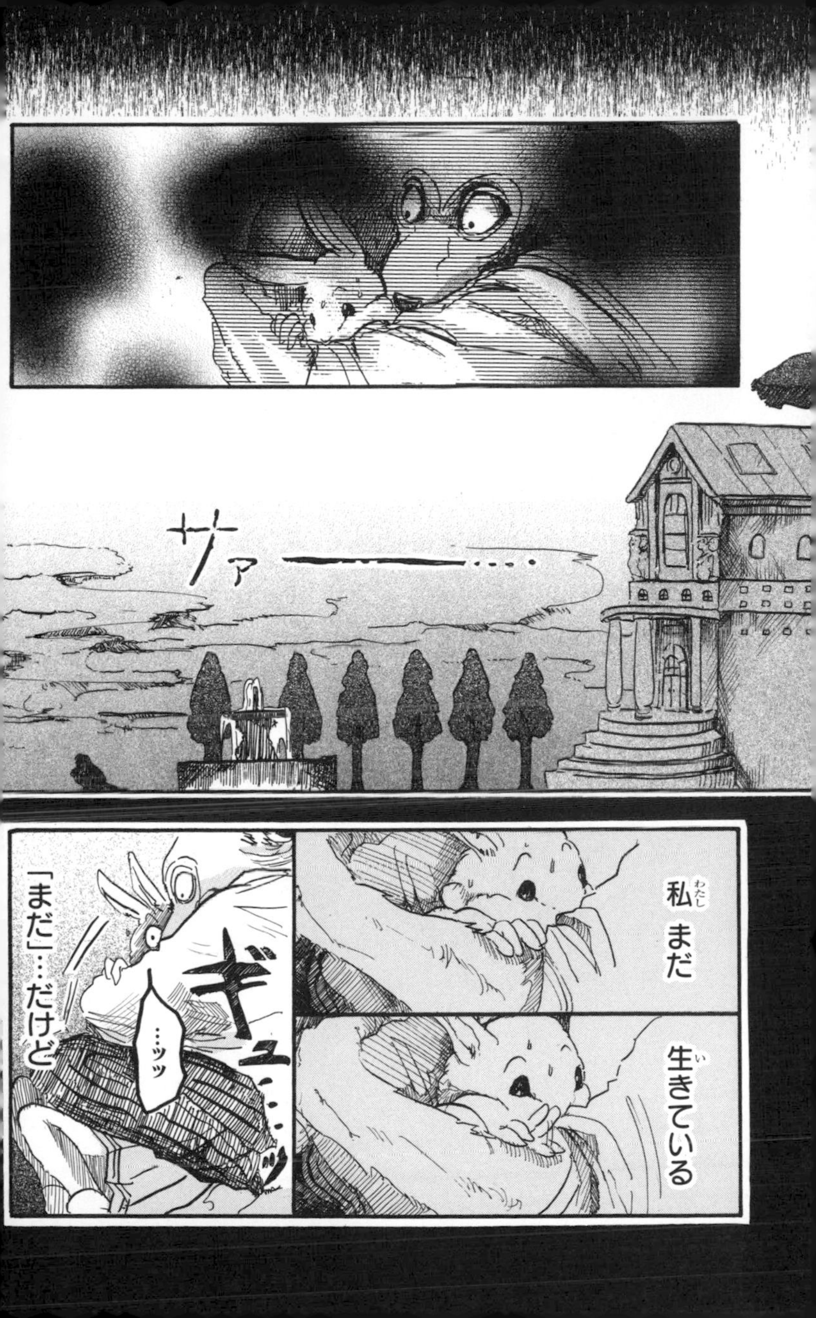

サァーー……
私《わたし》 まだ
生《い》きている
ギュ……
…ッツ
「まだ」…だけど

文字通《もじどお》り絶体絶命《ぜったいぜつめい》(かもしれない)
…にかかわらずこのドワーフ種《しゅ》のメスウサギハルの心中《しんちゅう》は…
とりあえず…
あいつらがここに居《い》なくて良《よ》かった…
いい気味《きみ》――
マジで食《く》われそうになってんじゃん
いつか痛《いた》い目《め》にあうと思《おも》ってたわ
本当《ほんとう》に良《よ》かった…

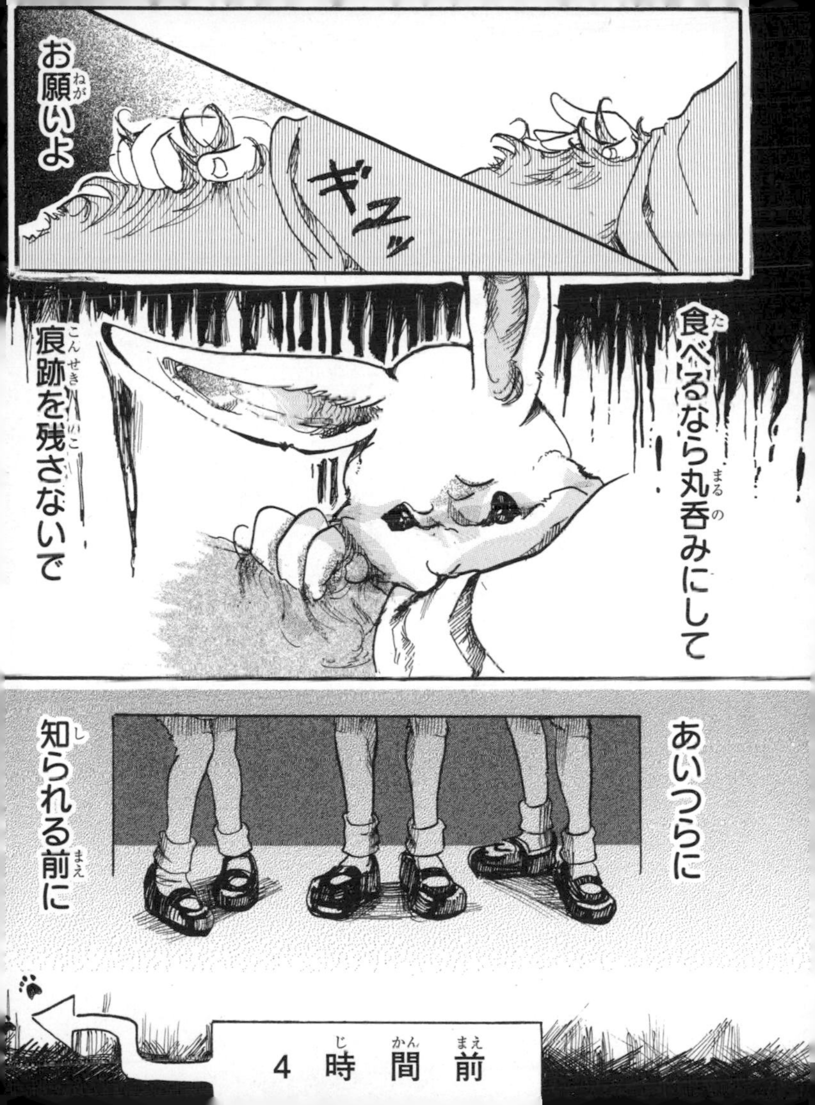
ギュッ
お願《ねが》いよ
食《た》べるなら丸《まる》呑《の》みにして
痕《こん》跡《せき》を残《のこ》さないで
あいつらに
知《し》られる前《まえ》に
4時《じ》間《かん》前《まえ》

食堂《しょくどう》
今日《きょう》の夕飯《ゆうはん》は にんじんとお豆《まめ》の ミルク煮《に》だわ
大好物《だいこうぶつ》だ 早《はや》く食《た》べたいな
えーと…どこ座《すわ》ろうかな
ねぇ そこ座《すわ》っていい？
あ――…… ごめん 友達《ともだち》が来《く》るの

…
パッ
ねーねー そこ空《あ》いて…
だから〜ー
いや それは ないっしょ？
ホーントだってば
……
超ーバカ〜
サ サ サ
……
校舎《こうしゃ》の裏《うら》だろうと 美《お》味《い》しいものは 美《お》味《い》しいもん…
ハルー!!

あら サリー もう寮《りょう》に戻《もど》る？
ハア…
こんな所《ところ》で1匹《びき》ぼっちのディナー？
…食堂《しょくどう》で1匹《びき》きりよりはマシだもん
ねぇサリー 様子《ようす》を見《み》に来《く》るくらいならご飯《はん》一緒《いっしょ》に食《た》べてよ
あ
そこはお断《ことわ》りするわ
私《わたし》まで目《め》つけられるのはご免《めん》だもん…あんたがしたこと学校《がっこう》のみんなに広《ひろ》まっちゃってるよ
…やっぱりね 一昨日《おととい》くらいから誰《だれ》も私《わたし》と目《め》を合《あ》わせないの
あの子《こ》相当《そうとう》キレてるよ…
ルームメイトとして忠告《ちゅうこく》するけど少《すこ》し大人《おとな》しくしてた方《ほう》がいいわ

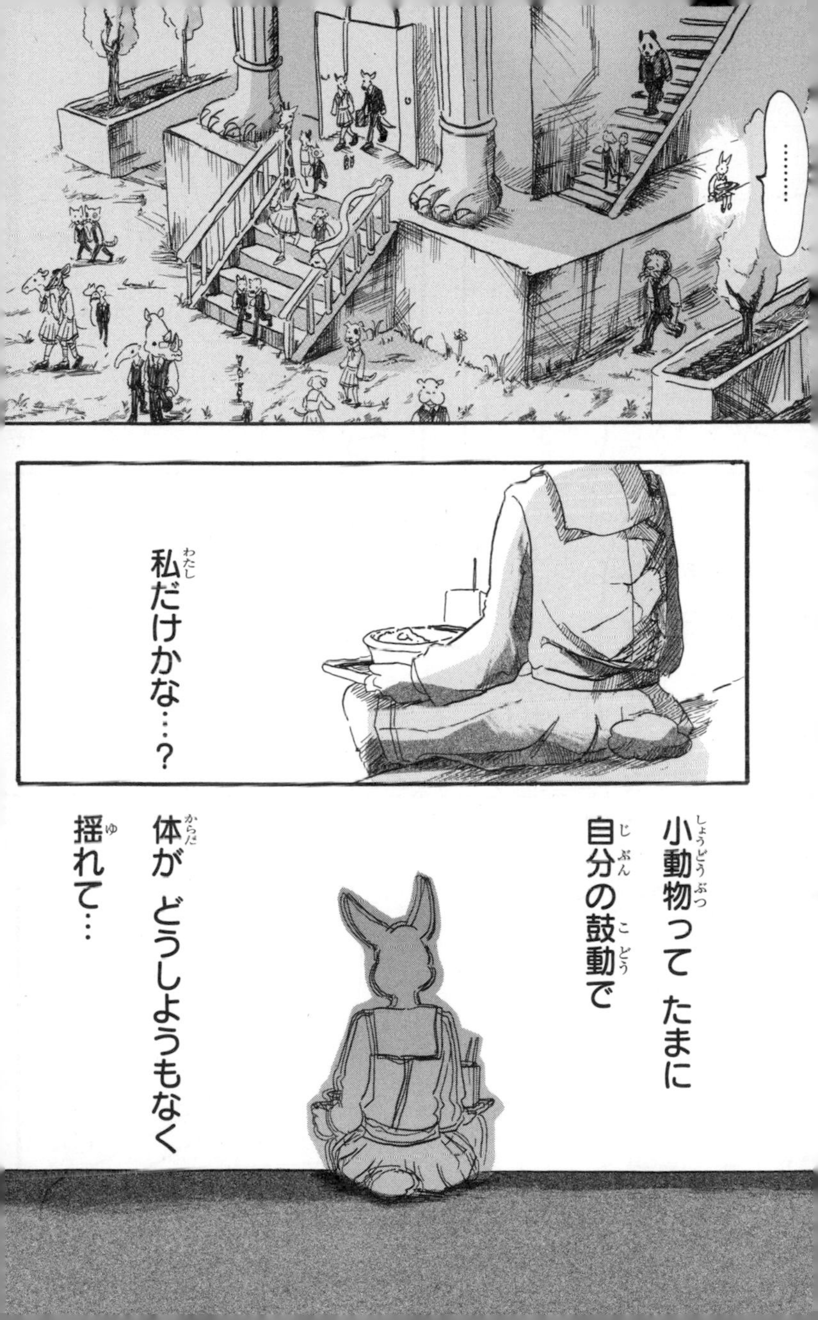

………
私《わたし》だけかな…？
小動物《しょうどうぶつ》って たまに
自分《じぶん》の鼓動《こどう》で
体《からだ》が どうしようもなく
揺《ゆ》れて…

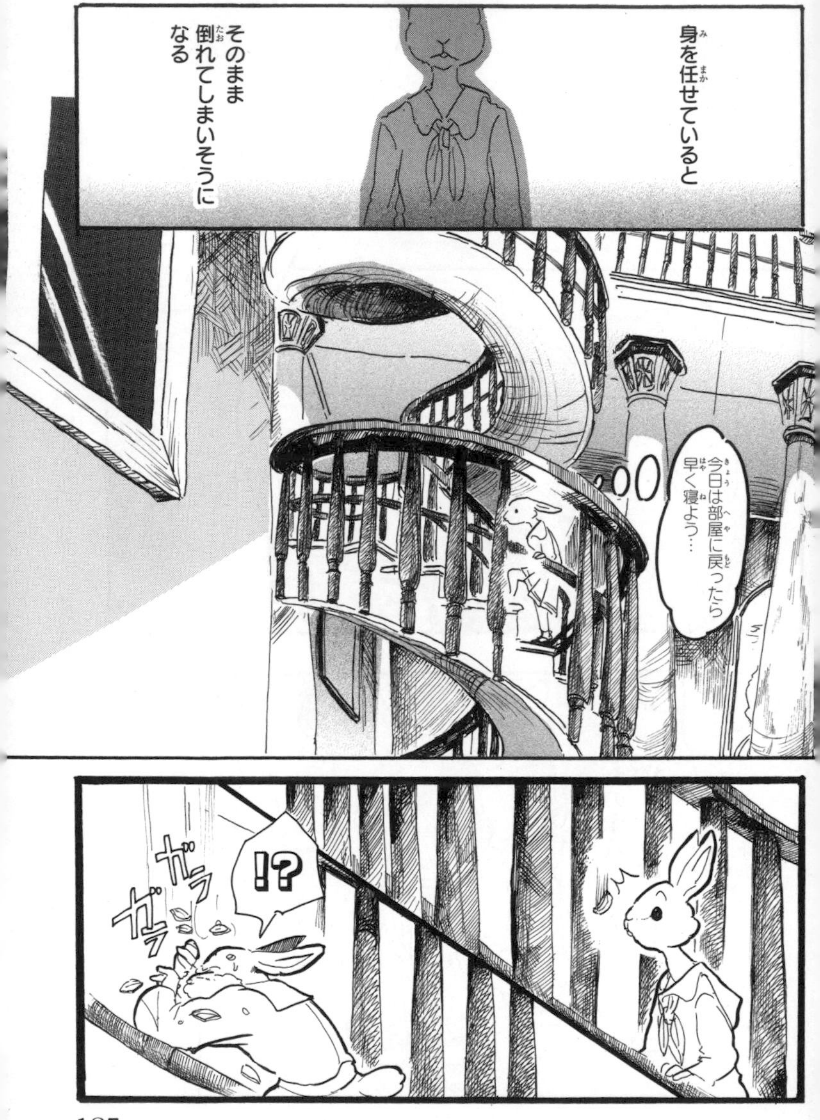

身《み》を任《まか》せていると
そのまま倒《たお》れてしまいそうになる
今日《きょう》は部屋《へや》に戻《もど》ったら早《はや》く寝《ね》よう…
!?
ガラ
ガラ

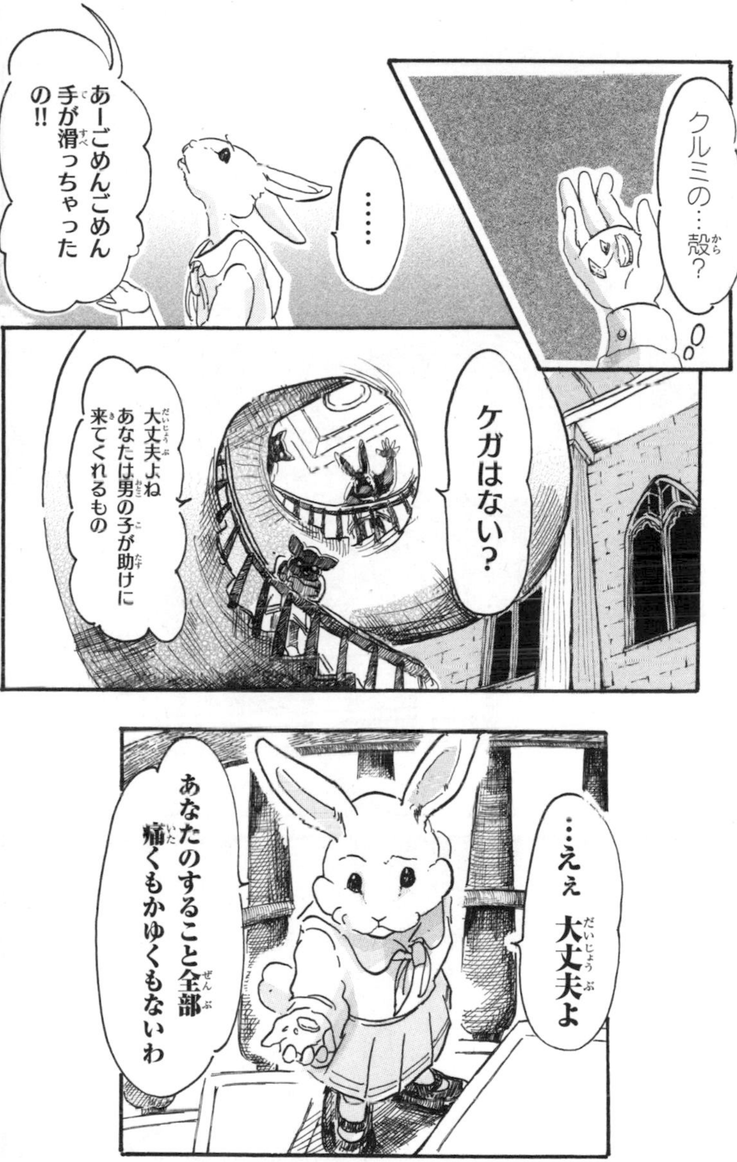
クルミの…殻《から》？
……
あーごめんごめん手《て》が滑《すべ》っちゃったの!!
ケガはない？
大丈夫《だいじょうぶ》よね　あなたは男《おとこ》の子《こ》が助《たす》けに来《き》てくれるもの
…ええ　大丈夫《だいじょうぶ》よ
あなたのすること全部《ぜんぶ》痛《いた》くもかゆくもないわ

さすがねー 学校中《がっこうじゅう》の友達《ともだち》みんなに無視《むし》されても…
ハルちゃんは こんなに 強《つよ》いのねぇ
でも
状況《じょうきょう》は分《わ》かってるんでしょう? 今《いま》じゃ誰《だれ》もあなたとは関《かか》わりたがらない
ウサギ／ハーレクイン種《しゅ》
ミズチ
きゃっ
ハイハイどうも あんたたちに付《つ》き合《あ》ってる ヒマはないの さよーなら
ちょ ちょっと…

私《わたし》の悪口《わるぐち》を学校中《がっこうじゅう》にまき散《ち》らしてるヒマがあるなら
早《はや》い所《ところ》彼《かれ》と復縁《ふくえん》しなさいよ
ハッ!?
どの口《くち》が言《い》ってんのそれ…事《こと》の発端《ほったん》はあんたが…
悪《わる》いけど勝手《かって》にキスしてきたのは彼《かれ》の方《ほう》よあなたがどう聞《き》いてるかは知《し》らないけどね
でもさ——
あのくらいのキスで浮《う》かれるようなオスにどれほどの価値《かち》があるかしら
ガシッ

バシャ
よく聞《き》いて
私《わたし》たちはウサギの中《なか》でも絶滅危惧種《ぜつめつきぐしゅ》のハーレクイン種同士《しゅどうし》のカップルだったのよ　レベルが違《ちが》うの!!
どこにでもいる平凡《へいぼん》なドワーフ種《しゅ》のあんたが　血統《けっとう》のカップルを壊《こわ》した

あんたが他《ほか》のオスとも裏《うら》で遊《あそ》びまくってることもっと学校中《がっこうじゅう》に広《ひろ》めてやるからね
…
行《い》きましょ
何《なに》よ正論《せいろん》ぶっちゃってさ…ただの嫉妬《しっと》のくせに
…だいぶ乾《かわ》いたな

寮《りょう》に戻《もど》りたくない…体育館裏《たいいくかんうら》で時間《じかん》でもつぶしてようかな
……
オスたちはみんなこの顔《かお》を見《み》て
「守《まも》ってあげたい」とか
「俺《おれ》が傍《そば》にいなくちゃ」とか
勝手《かって》に思《おも》い込《こ》んで近寄《ちかよ》ってきて…

幻想《げんそう》と違《ちが》うと分《わ》かると
食《く》い散《ち》らかして
去《さ》っていく
別《べつ》に…どうでもいいんだけどさ
そう

…?
この世《せ》界《かい》で
勝者《しょうしゃ》になるのは

こうやって本能《ほんのう》むき出《だ》して
生《い》きれちゃう奴《やつ》よ

私《わたし》はいつも敗者《はいしゃ》にすらなれない
ずっと色々《いろいろ》な奴《やつ》の
エサであり続《つづ》ける人生《じんせい》だった

…この前《まえ》の アルパカ殺《ごろ》しの 犯人《はんにん》かしら…
じゃり…
……ッ
足《あし》が震《ふる》える…
ズイ…
私《わたし》のことなんて もうくれてあげる
ただ最後《さいご》に
私《わたし》のこの しょうもない人生《じんせい》 でも

逃《に》げる意味《いみ》…とか
恐《こわ》くて泣《な》きたい とか
そういうの ちゃんとあったってこと
あなた…
分《わ》かってくれる？

彼《かれ》は彼《かれ》で
分《わ》かるどころか
苦《くる》しいほどの共鳴《きょうめい》に
襲《おそ》われていました

第《だい》5話《わ》／ねぇ僕《ぼく》らだよ

ドッ
この音《おと》は…
ドッ
ドッ
ドッ
俺《おれ》か?
ドッ
君《きみ》のか?
ドッ
ドッ

俺《おれ》の一《いち》部《ぶ》に
なってしまいそうなくらいだ…
こんなに
熱《あつ》くて
小《ちい》さい

よく動《うご》くし
吐息《といき》で腕《うで》が湿《しめ》る
匂《にお》いだけでこんなに感《かん》じ取《と》れてしまうなんて
この布《ぬの》の
この柔《やわ》らかい毛《け》の中《なか》に
一体《いったい》
…ッッ

やめろ…!!
一体《いったい》
どうすれば…
どれほど口内《こうない》を満《み》たす…
温《あたた》かな…
体《からだ》が…
手《て》が
止《と》まってくれない
それでいいんだよ

ずっと ずっと そうやって もがいてきたけど

そろそろ限界《げんかい》だよ
……!?
君《きみ》はよく頑張《がんば》った
ペタ
ペタ
ペタ
く来《く》るな!!
やめろ…!!

幼《おさな》い頃《ころ》から自分《じぶん》をおさえこんで…
陰《かげ》の中《なか》で静《しず》かに生《い》きてきたのにさ
予想外《よそうがい》だよねこんな事態《じたい》
哀《かな》しい？
それとも悔《くや》しい？
来《く》るな!!
やめろ
どれも違《ちが》うね…

君《きみ》は心《こころ》から喜《よろこ》んでるんだ
あ・・・
やめろ
こっち見《み》てよ 自分《じぶん》から目《め》を背《そむ》けちゃダメだよ どんどん大《おお》きくなっていくよ ホラ
やめろ
見《み》るものか
消《き》えろ
覚悟《かくご》は出来《でき》てるね 楽《たの》しみはここからだ

一《ひと》噛《か》みでいけよ…
くそ…
くそ…!!
そんなバカな
17年分《ねんぶん》の…
焦《こ》がれてた
味《あじ》だ…

もうやめてくれ
ラクにしてくれ……!!
俺《おれ》によこせ…
ジワァ…
食《く》ってやる
食《く》ってやる
腕《うで》が熱《あつ》い…!! し 死《し》ぬ…
私《わたし》 本当《ほんとう》に…!!
死《し》ぬ!!
お――い!!

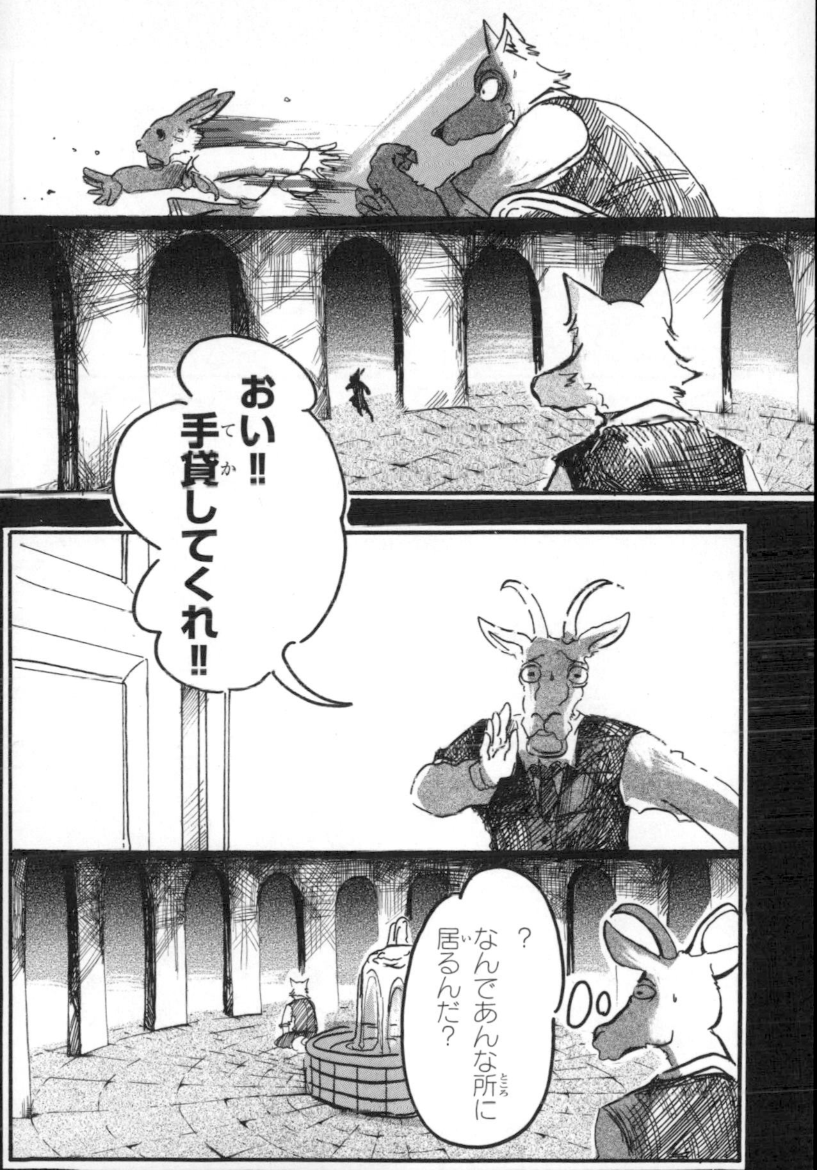
おい!!手《て》貸《か》してくれ!!
?
なんであんな所《ところ》に居《い》るんだ?

レゴシー──!!
……
見張《みは》ってくれてたんじゃないのかよ!? ちょっと来《き》てくれ! ルイ先輩《せんぱい》が
…どうしたの?……
いいから!
…つくつ

ルイ先輩《せんぱい》！
レゴシを連《つ》れてきました!!
先輩て大丈夫ですか？
！

だ…大丈夫《だいじょうぶ》ですか？足《あし》ですか？
なんでもない!! くそ…やめろ!!
ぼ…僕《ぼく》を助《たす》けようとしたんだ…
？
暗《くら》くて…いつもより足下《あしもと》が見《み》えにくくて舞台《ぶたい》から落《お》ちかけた所《ところ》を先輩《せんぱい》が…
我《わ》が水《みず》の精《せい》は…この身《み》が
いつか空気《くうき》に消《き》えようとも…
！

……
思《おも》い上《あ》がるな!!
ちっぽけなケガでヒーヒー 泣《な》かれたら たまったもんじゃないから 引《ひ》っ張《ぱ》っただけだ!!
で でも…僕《ぼく》 先輩《せんぱい》を思《おも》いっきり 下《した》に敷《し》いちゃったから…
俺《おれ》は大丈夫《だいじょうぶ》だ このくらい… お前《まえ》と違《ちが》って体《からだ》は鍛《きた》えてる

あ…明日《あした》のリハーサルとか…
もし先輩《せんぱい》が出《で》れなかったら僕《ぼく》どうすれば
ゾーイ これ以上《いじょう》は何《なに》も言《い》うな 俺《おれ》の角《つの》で串刺《くしざ》しにされたくないだろ
…すんません…
くそ…明日《あした》には良《よ》くなるはずだ… 今《いま》だけだ 今《いま》だけちょっと肩貸《かたか》せレゴシ…
ハイ
稽古《けいこ》は終了《しゅうりょう》だ
見張《みは》りご苦労《くろう》だったな
いえ…

異常《いじょう》はなかったか？
………
あ　ハイ
何《なに》も…
ゴシ…

バキッ
パキ…
……

第《だい》6話《わ》／ケモノたちの一等星《いっとうせい》

BEASTARS
Vol.1

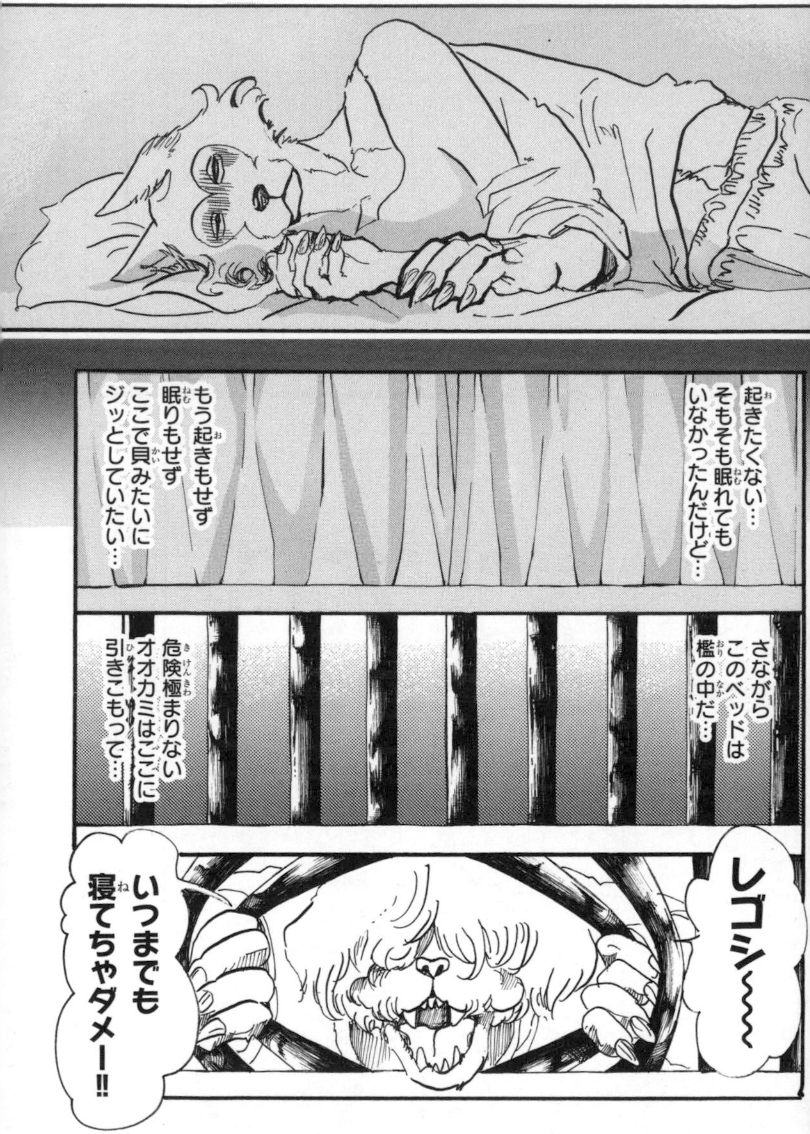
起《お》きたくない…
そもそも眠《ねむ》れても
いなかったんだけど…
もう起《お》きもせず
眠《ねむ》りもせず
ここで貝《かい》みたいに
ジッとしていたい…
さながら
このベッドは
檻《おり》の中《なか》だ…
危《き》険《けん》極《きわ》まりない
オオカミはここに
引《ひ》きこもって…
レゴシ〜〜〜
いつまでも
寝《ね》てちゃダメー!!

……
顔怖《かおこわ》いよ〜 朝《あさ》だよ〜
ははぁレゴシ…お前《まえ》も今日《きょう》の数《すう》Ⅱの小《しょう》テスト 勉強《べんきょう》してないんだな?
わかるぞその気持ち〜
レゴシの寝起《ねお》きはいつもこんなだろー
いや…
……
大型犬の腕力なめるなよ〜

なんかおかしいぞ…
いつものどんよりとは
格《かく》が違《ちが》う…
今日《きょう》のレゴシはなんか
石像《せきぞう》みたいだ
影の濃度も
また一段と…
………
カチコチ
俺 今日
ロケットで宇宙行く
夢見たー!!
おはよ~
もうこんな時間《じかん》だー
食堂《しょくどう》混《こ》んじゃうかな
おはよー
大丈夫《だいじょうぶ》! アライグマ科《か》も
今《いま》行《い》くみたいだぜ
レゴシ
リュック開《あ》いてるよ
イヌ科《か》部屋《べや》701号室《ごうしつ》のルームメイト
愉快《ゆかい》な仲間《なかま》たちは6匹《ぴき》
レゴシ
ハイイロオオカミ
ミグノ
ブチハイエナ
ダラム
コヨーテ
コロ
イングリッシュシープドッグ
ジャック
ラブラドールレトリバー
ボス
フェネック
他《ほか》の様々《さまざま》な科《か》の部屋《へや》も
種類《しゅるい》は被《かぶ》らないように分《わ》けられている

えーと…
・ミルク
・トースト
・スクラン
・豆バー
今日《きょう》の肉食獣《にくしょくじゅう》の朝《あさ》メシ…
トーストとスクランブルエッグと
豆《まめ》バーグ
おやったー あれ好《す》き
全寮制《ぜんりょうせい》のこの学校《がっこう》では
生徒《せいと》は3食《しょく》 食堂《しょくどう》で
食《た》べる決《き》まりだ
大食堂
当然《とうぜん》のこととして この世界《せかい》で
肉《にく》を食《た》べることは重罪《じゅうざい》だ
食堂《しょくどう》ではもちろん
街《まち》の飲食店《いんしょくてん》でも肉《にく》は一切《いっさい》出《で》ない

その分《ぶん》
どの動物《どうぶつ》も満足《まんぞく》できるよう
今《いま》の時代《じだい》は味《あじ》の追求《ついきゅう》が目《め》ざましい
おっ おばちゃん!
今朝《けさ》も肌《はだ》ツヤいいねぇ
おだてても
具《ぐ》は増《ふ》やさないよ
栄養《えいよう》も味《あじ》もよく考《かんが》えられている
草食用 朝食メニュー
SOY MILK
蒸し野菜、おからのドーナツ、豆乳
肉食用 朝食メニュー
(タンパク質は基本的に
豆や乳製品、卵でとる)
MILK
トースト、スクランブルエッグ、豆バーグ、牛乳
あ 悪《わり》ぃ!
先行《さきい》けよ
あら
ありがと
食《た》べる場所《ばしょ》も…

種類《しゅるい》で大《おお》まかに
分《わ》けられている
あっぷねー
俺《おれ》 今《いま》ネズミ系《けい》の女子《じょし》
踏《ふ》みかけちまったよ
マジで眼鏡《めがね》作《つく》んなきゃ
一方《いっぽう》 彼女《かのじょ》も…
いやぁ…あれ私《わたし》
数秒遅《すうびょうおく》れてたら
ぺっしゃんこだったわよ
うちら極小《ごくしょう》は
壁際歩《かべぎわある》かないとダメよ
食欲なくす話だわ〜
なぁーレゴシ お前《まえ》この前《まえ》
言《い》ってくれたもんな
俺《おれ》 眼鏡《めがね》似合《にあ》いそうって
…うん…
メシ食《く》ってもさほど回復《かいふく》せず…
確実《かくじつ》に何《なに》かあったな…

今朝《けさ》は
パンは残《のこ》そう…
まだ昨夜《さくや》の感触《かんしょく》が
手《て》に残《のこ》ってる…
柔《やわ》らかいものを
握《にぎ》りたくない…
パンを握《にぎ》ることすら
許《ゆる》されない…
小動物《しょうどうぶつ》に危害《きがい》を加《くわ》えた
今《いま》の俺《おれ》には…
レゴシ～
テメェ
いいかげんに
しろよ!!

さっきからしっぽ踏《ふ》んでんのが気付《きづ》かねぇのかこのボンクラ
だーから謝《あやま》ったじゃねぇかよバカ!!
ヘラヘラ笑《わら》ってたのがムカついたんだよ クソギツネ
あーその顔《かお》の筋《すじ》はストレスによるものなんですかー!?
左《ひだり》の方《ほう》はおめーらに似《に》てるじゃねぇか
あれはキツネ 確《たし》かに同《おな》じイヌ科《か》だけど違《ちが》いはハッキリしてほしぃね
いって!! この野郎《やろう》!!

あっ噛《か》みつきだ
誰《だれ》か先生《せんせい》呼《よ》べよ
草食《そうしょく》は下《さ》がって
食《く》ってやる
食《く》ってやる

オラ 謝《あやま》れよ そしたら放《はな》してやる
……ぐ……っ
うわ!! しめてるぞ
ヤバい

やめろ
ハッ
なんだテメェ…
…
ど～しちゃったんだよ
マジで レゴシ～

レゴシのような
デカい図体《ずうたい》で「俺《おれ》なら1発《ぱつ》で勝《か》てる」とでも思《おも》ったか
ま まさか…
大型肉食獣《おおがたにくしょくじゅう》の戦闘能力《せんとうのうりょく》は
意図《いと》せず働《はたら》くばかり…
こういう状況《じょうきょう》に陥《おちい》ると
身長《しんちょう》 170cm《センチ》
肩幅《かたはば》 42cm《センチ》
体重《たいじゅう》 55kg《キロ》
爪《つめ》 3cm《センチ》
アゴの力《ちから》 150kg《キロ》
来《こ》いよ
戦《たたか》う気《き》がなくても無意識《むいしき》に
相手《あいて》のデータを見極《みきわ》めてしまう

いやいやいや…
身長《しんちょう》
185cm《センチ》
アゴの力《ちから》
300kg《キロ》
体重《たいじゅう》
71kg《キロ》
爪《つめ》
6cm《センチ》
よ よし考《かんが》えろ… 頭《あたま》を働《はたら》かせろ どうすれば 自然《しぜん》に俺《おれ》が敗《ま》けられるか
なァーにが いやいやだよ 首ねっこ渡せよ 優しく噛みついてやっからよ
そうだ ポッケにある小銭《こぜに》を 落《お》として拾《ひろ》うフリをして… そこで奴《やつ》がしかけてきた技《わざ》にのっかって…
やれやれ 肉食動物《にくしょくどうぶつ》もラクじゃないな

性格《せいかく》と戦闘力《せんとうりょく》が必《かなら》ずしも伴《ともな》わないなんて
ルイだ
ルイさんだ
ルイさーん!!
…
ルイ様ー♡
きゃー♡♡
おやおや… 高級獣《こうきゅうじゅう》のおぼっちゃま
ルイ様《さま》じゃありませんか
公共《こうきょう》の場《ば》で牙《きば》を剥《む》くのはマナー違反《いはん》だ 噛《か》み合《あ》いなら肉食寮《にくしょくりょう》でやっていろ

…へっ
あんたもなかなか大変《たいへん》だねぇ…
次《つぎ》のビースターの称号《しょうごう》を狙《ねら》うとなりゃ…
人望《じんぼう》もそうやってコツコツと集《あつ》めなきゃなんねぇ
ビースター…

この称号《しょうごう》を知《し》らない
動物《どうぶつ》はいない…
学校《がっこう》全体《ぜんたい》の統率《とうそつ》を担《にな》い
この世界《せかい》の差別《さべつ》や恐怖《きょうふ》を
超越《ちょうえつ》する 英雄的《えいゆうてき》地位《ちい》
歴代《れきだい》のビースターは卒業《そつぎょう》した後《あと》も
スポーツ選手《せんしゅ》や政治家《せいじか》として本格的《ほんかくてき》に
この世界《せかい》を牽引《けんいん》する
…フン…
ビースターね…

お前《まえ》らには雲《くも》の上《うえ》の話《はなし》だ
ひがむ前《まえ》にこの世界《せかい》にビースターが必要《ひつよう》な理由《りゆう》をよく考《かんが》えて
まずは自分《じぶん》を正《ただ》せよ
そ、そーうだ そうだ!!
マナーが悪い!
あ ああ〜?
ルイさん正論!!
…

さすがポイントかせぎの腕《うで》は大《たい》したもんだな！
ビースターにでもなんにでもなれよ
おい早《はや》く行《い》こうぜ
良《よ》かったじゃないか仲直《なかなお》りできて
諸君《しょくん》朝食《ちょうしょく》に戻《もど》ってくれ
おー
パチパチパチ
ザワ
さすがだなァ
いやー良かった良かった

…昨日《きのう》の借《か》りは これで返《かえ》したことになるかな
…。
あぁ… いやいや… あんなん別《べつ》に…
いや…ありがとうございます… ルイ先輩《せんぱい》 来《き》てくれなかったら俺《おれ》…
なんとかして敗《ま》ける演技《えんぎ》を しなければならなかった…だろ?

いつまでそのスタイルを突《つ》き通《とお》すつもりなんだか…まったくすみにおけないね
ポン。
君《きみ》は思《おも》ったより悪《わる》いオオカミのようだ
英《えい》雄《ゆう》的《てき》地《ち》位《い》…

次《つぎ》なるビースター…
彼《かれ》がもし正義《せいぎ》なら…俺《おれ》は…
ハア〜！ルイ先輩《せんぱい》かっけーな〜やっぱり
ていうか…ねぇ あのルイ先輩《せんぱい》に貸《か》し作《つく》ってたの!? なんで!?
なんでもないよ
あ レゴシが残《のこ》してたパン ぼく食《た》べちゃったよ
うん…

BEASTARS
Vol.1

第《だい》7話《わ》／禁《きん》猟《りょう》区《く》レベル100

死神《しにがみ》さん
ハァ
どうしてあいつら私《わたし》を追《お》ってくるの!?
ハァッ
ハァッ
ハァッ
タッ
タッ タッ
…本当《ほんとう》ならお前《まえ》は3日《か》前《まえ》に死《し》んでるはずだからだ
スタスタ
スタスタ
スタスタ
キュッ

水《みず》風《かぜ》火《ひ》…
森羅万象《しんらばんしょう》 あらゆる使者《ししゃ》が お前《まえ》を殺《ころ》そうとしている
そう
じゃあ… こいつらも…

運命《うんめい》に逆《さか》らうとはそういうことだ
大丈夫《だいじょうぶ》私《わたし》に任《まか》せろ
お前《まえ》を殺《ころ》す…それは私《わたし》の仕事《しごと》

それまでは誰《だれ》にもお前《まえ》に触《ふ》れさせぬ
ハイッ
シーン15OK《オーケー》ですちょっと休憩《きゅうけい》入《はい》ります——

ハ？ なんで？ サヌ
リハで休憩《きゅうけい》なんて聞《き》いたことないぞ
あー…うん
30分《ぷん》もとらない
15分《ふん》くらいだ
部長《ぶちょう》
サヌ（ペリカン）
長《なが》い付《つ》き合《あ》いだから分《わ》かるよ
少《すこ》し動《うご》きが悪《わる》い…
体調《たいちょう》とか…
どうだ？
小声《こごえ》で言《い》うな
別《べつ》に平気《へいき》だ
新歓《しんかん》は学内公演《がくないこうえん》では一番重要《ばんじゅうよう》だ
この演劇部《えんげきぶ》の重要性《じゅうようせい》を新入生《しんにゅうせい》に教《おし》える必要《ひつよう》がある

体調《たいちょう》云々《うんぬん》言《い》ってる場合《ばあい》じゃない
そうだろ お前《まえ》ら
あ そう…スね
さっきの悪役
・・・・
…
本気《ほんき》で来《こ》い

部員たち
シカの俺《おれ》がアドラーを演《えん》じること…
肉食《にくしょく》のお前《まえ》たちが俺《おれ》を本気《ほんき》で襲《おそ》ってくること
そのすべての意味《いみ》を舞台《ぶたい》で示《しめ》すんだ
今回《こんかい》はことさら強《つよ》くな

かっこいいね
キレッキレねー
なんて言ってたの？
おい!! 急《いそ》げよ
重いんだって
衣装！
小道具
ああ…ごめん
小道具2
クツ
へぇーー
リハで休憩《きゅうけい》
EXIT

(美術チームは裏口で衣装作りです)
それは確《たし》かに前代未聞《ぜんだいみもん》ね―…
美術《びじゅつ》リーダー／3年《ねん》
ドーム（クジャク）
詳《くわ》しいことは分《わ》かんないんですけど…
ファッジ（レッサーパンダ）
本番前《ほんばんまえ》のルイさんて気《き》が立《た》ってるから怒《おこ》りそ〜〜
カイ（マングース）
キビ（アリクイ）
くっそ——
俺《おれ》だってリハに出《で》るはずだったんだ!! こんな薄暗《うすぐら》い所《ところ》で針仕事《はりしごと》なんてよぉ
あら―カイ あなたなかなかセンスあるわよ 美術《びじゅつ》チームに来《き》てくれて良《よ》かったわ
え…っ そ そう?
ええ!
あ…これ

テムの衣装《いしょう》だ…
どうします…？
ど…

まぁ…
取《と》っておいても仕方《しかた》ないだろ
……
レゴシ テムは死《し》んだんだ いつまでも衣装《いしょう》取《と》っておく方《ほう》が不気味《ぶきみ》だぜ
おいカイ…
アルパカのテムはこの学校《がっこう》の肉食《にくしょく》の誰《だれ》かに突然《とつぜん》襲《おそ》われて死《し》んだ
この世界《せかい》における
最《もっ》も重《おも》いご法度《はっと》だ

だからこそみんな もうこの事件《じけん》に
あまり触《ふ》れたがらない
テム
この世界《せかい》に潜《ひそ》む 底《そこ》なしの闇《やみ》…
あの人《ひと》がさっき言《い》っていたことの 意味《いみ》が分《わ》かってきた

シカのルイさんが強《つよ》きアドラーを演《えん》じることの意味《いみ》…
この事件《じけん》に一番《ばん》向《む》き合《あ》っているのは多分《たぶん》あの人《ひと》だ…
草食《そうしょく》と肉食《にくしょく》の頂点《ちょうてん》…

ハァ…
ハァ…
ハァ…
シーン16から始《はじ》めます
ビースターとして…
照明《しょうめい》OK《オーケー》です!!
始《はじ》めよう
音響《おんきょう》OK《オーケー》です
一体《いったい》…どれほどの重圧《じゅうあつ》が…
…ゴシ
レゴシ!!

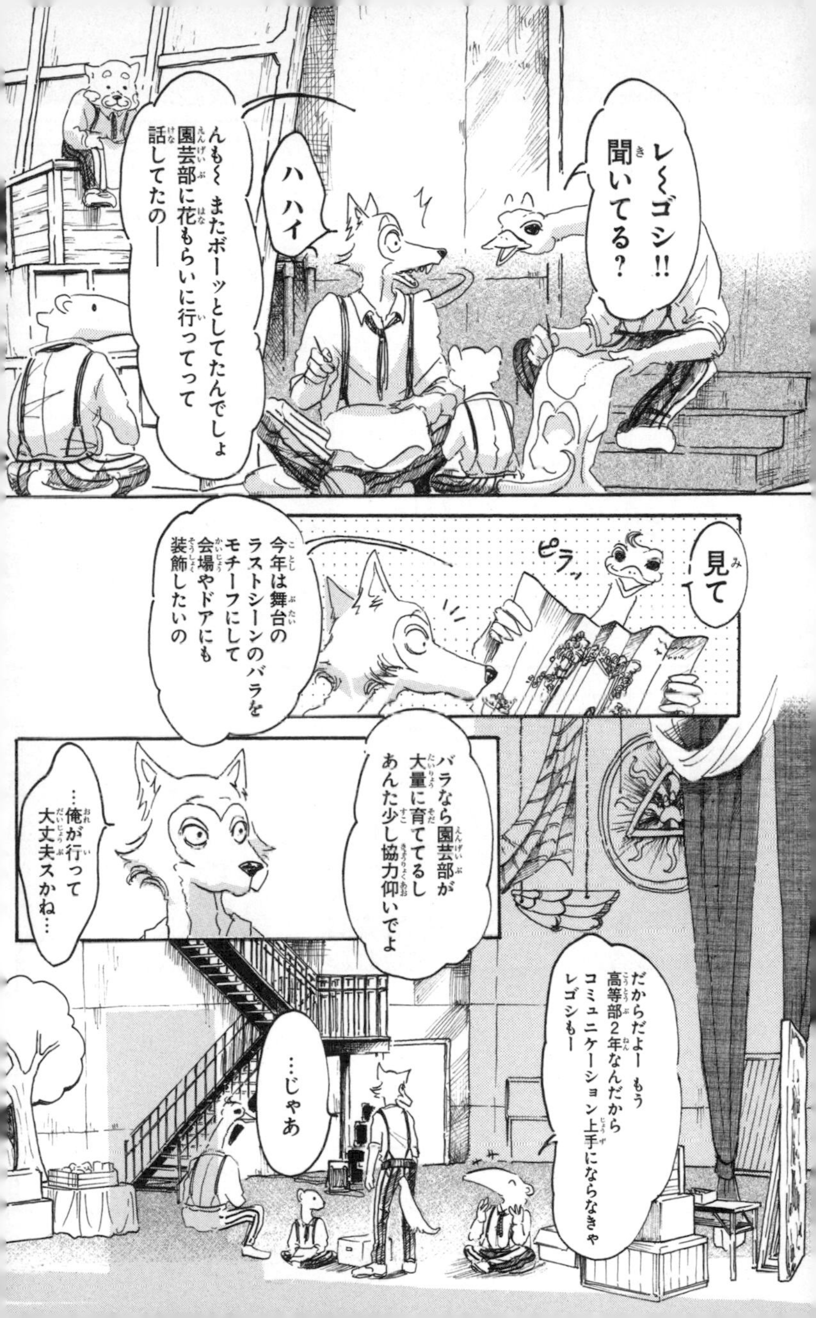
レ〜ゴシ!! 聞《き》いてる?
ハ ハイ
んも〜 またボーッとしてたんでしょ 園芸部《えんげいぶ》に花《はな》もらいに行《い》ってって話《けな》してたの——
見《み》て
ピラッ
今年《ことし》は舞台《ぶたい》のラストシーンのバラをモチーフにして会場《かいじょう》やドアにも装飾《そうしょく》したいの
バラなら園芸部《えんげいぶ》が大量《たいりょう》に育《そだ》ててるしあんた少《すこ》し協力《きょうりょく》仰《あお》いでよ
…俺《おれ》が行《い》って大丈夫《だいじょうぶ》スかね…
だからだよー もう高等部《こうとうぶ》2年《ねん》なんだからコミュニケーション上手《じょうず》にならなきゃレゴシもー
…じゃあ

え〜
付《つ》きそいなんて要《い》るかなァ〜
オオカミ1頭《とう》が突然《とつぜん》花《はな》を要求《ようきゅう》しに来《き》たら怖《こわ》がられるでしょ…
屋上《おくじょう》に庭園《ていえん》なんてあったんだね…
肉食《にくしょく》の間《あいだ》ではあまり知《し》られてない？
園芸部
…
くん…
まぁー地味《じみ》な部活《ぶかつ》だしねー
この匂《にお》い…
な 何《なに》？
あの夜《よる》の…
花《はな》のいい匂《にお》いするよね開《あ》けるよ
あ
ガチャ

何《なに》か用《よう》？
そこは…
決《けっ》して入《はい》ってはいけなかった…
魔《ま》の
庭《てい》園《えん》…
『BEASTARS』第①巻／完

ご意見《いけん》、ご感想《かんそう》待《ま》ってます!!

[ファンレターのあて先《さき》]

〒102-8107
東京都千代田区飯田橋2-10-8
秋田書店
週刊少年チャンピオン編集部気付
板垣巴留先生
です。

初出《しょしゅつ》◎週刊少年《しゅうかんしょうねん》チャンピオン2016年《ねん》41号《ごう》～47号《ごう》

レゴシ創作メモ

作画ポイント
・顔の横毛
・広い二重まぶた
・手を大切に描くこと

いつ生《う》まれてきたキャラクターか

オオカミのキャラクターは中学《ちゅうがく》か高校《こうこう》くらいから考《かんが》えていました。でも今《いま》よりもっと大人《おとな》で、冗談《じょうだん》も言《い》えるような性格《せいかく》でした。一番最初《いちばんさいしょ》の設定《せってい》は、6歳児《さいじ》の助手《じょしゅ》と2人《ふたり》で開《かい》業医《ぎょうい》として働《はたら》いてて、その次《つぎ》はパリコレのスタイリストだったか…。見《み》た目《め》は変《か》わらず、設定《せってい》は転々《てんてん》としていたレゴシ。今《いま》の完成形《かんせいけい》が一番不器用《いちばんぶきよう》で若《わか》くて描《か》いてて楽《たの》しいです。

PROFILE

レゴシ(17)♂
食肉目《しょくにくもく》 イヌ科《か》
ハイイロオオカミ
4月9日生まれ おひつじ座
O型 185cm/71kg
好きなもの ・昆虫
・天気予報

名前《なまえ》の由来《ゆらい》

ベラ・ルゴシっていうドラキュラの役《やく》ばっかりやってた昔《むかし》の映画俳《えいがはい》優《ゆう》がいまして、その名《な》前《まえ》に小《ちい》さい頃衝撃《ころしょうげき》を受《う》けました。「なんて優雅《ゆうが》な名前《なまえ》!!」妖《あや》しさもあって強《つよ》そう。そこから少《すこ》し借《か》りました。

モデル

顔《かお》はフランスの映画《えいが》俳優《はいゆう》マチュー・アマルリックさんです。たたずまいはたまに松山《まつやま》ケンイチさんとか思《おも》い出《だ》して描《か》いてます。

なぜオオカミか

大《おお》きくて強《つよ》いのに、オオカミは猫背《ねこぜ》なんです(本物《ほんもの》がね)。コソコソするから悪役《あくやく》にされがちなんだろうなと思《おも》うと可愛《かわい》い動物《どうぶつ》です。あとイヌに近《ちか》いから、我々人間《われわれにんげん》にとって親《した》しみもありますし。オオカミって画像検索《がぞうけんさく》してください。惚《ほ》れちゃいますよ。

チェリートン学園の制服について

この学園の制服は紳士的なデザイン。動物たちは窮屈じゃないの??

学校《がっこう》を歩《ある》いている暗《くら》そ…いや 大人《おとな》しそうな男子生徒《だんしせいと》に聞《き》いてみた
すみませ〜ん
インタビューなんですけど 制服《せいふく》のサイズはどのように選《えら》ぶのですか?
えっ なんですか イ インタビュー?
あぁ… サイズですか…
草食《そうしょく》と肉食《にくしょく》で 5S《ファイブエス》から5L《ファイブエル》まであるんです…
ベストやジャケットの脱《ぬ》ぎ着《き》は自由《じゆう》で シャツとサスペンダーで過《す》ごす男子《だんし》もいます…
いや… 女子の制服《せいふく》はよく知《し》りません
しっぽの穴《あな》も最初《さいしょ》からあいているのですか?
いや それは千差万別《せんさばんべつ》なので 自分《じぶん》でしっぽの付《つ》け根《ね》周《まわ》りを測《はか》って
それに沿《そ》って布《ぬの》を切《き》るんです ハサミで…

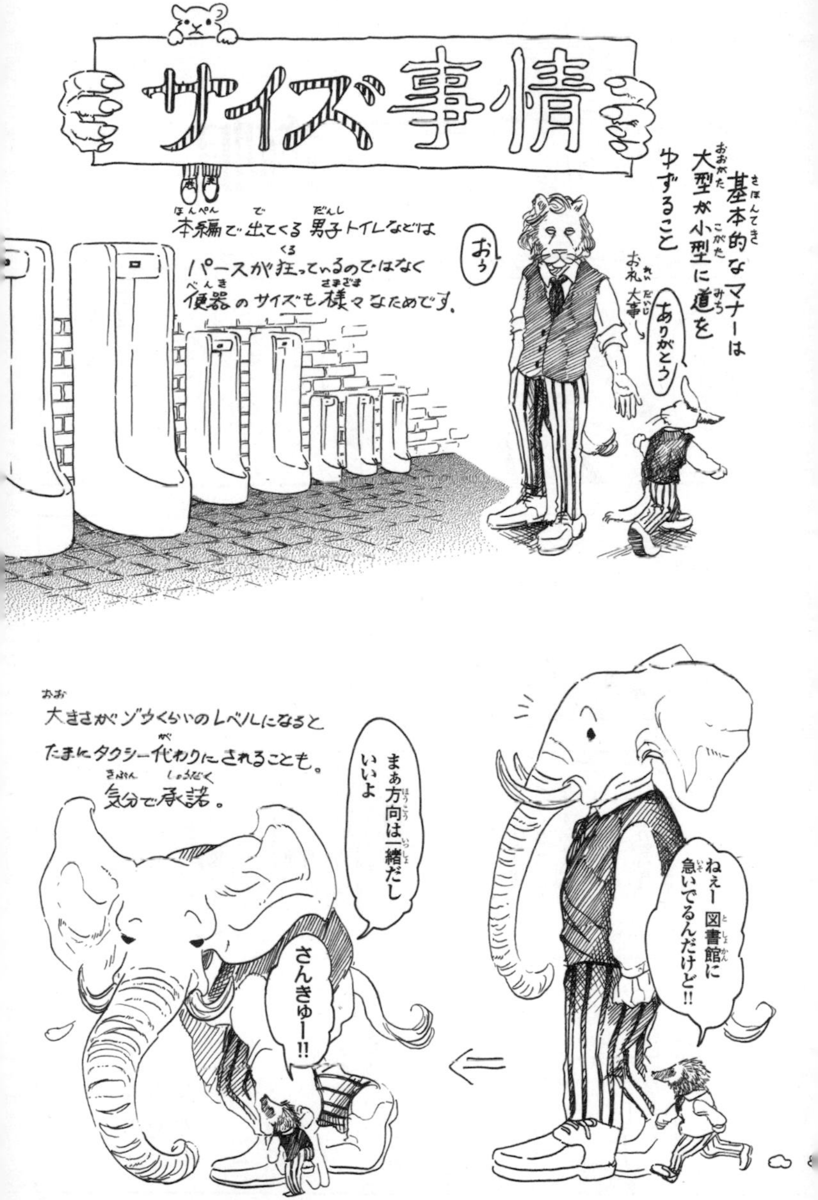
サイズ事情
基本的《きほんてき》なマナーは大型《おおがた》が小型《こがた》に道《みち》をゆずること
ありがとう
お礼《れい》大事《だいじ》
おぅ
本編《ほんぺん》で出《で》てくる男子《だんし》トイレなどは
パースが狂《くる》っているのではなく
便器《べんき》のサイズも様々《さまざま》なためです。
大《おお》きさがゾウくらいのレベルになると
たまにタクシー代《が》わりにされることも。
気分《きぶん》で承諾《しょうだく》。
ねぇー 図書館《としょかん》に急《いそ》いでるんだけど!!
まぁ方向《ほうこう》は一緒《いっしょ》だしいいよ
さんきゅー!!

チーム巴《ぱ》留《る》の仕事場《しごとば》

仕事場《しごとば》はこんなカンジです。
アシさん2人に支《ささ》えられて仕事《しごと》してます。
私が1番《ばん》年下《としした》なので会話《かいわ》は全員《ぜんいん》敬語《けいご》です。
和気《わき》あいあいアットホームな職場《しょくば》だよ!
怪《あや》しいバイトの宣伝文句《せんでんもんく》じゃないです!

いつもラジオ流してます
TOKYO FM
エイティーポインツ ラブ~
誰か恋バナしてくださいよ~
私
作画用ではなくhuluを流す用のパソコン…
パンダ師匠の作業している手の動きは見えません…
エクストラハイパーマンパンダ師匠角光さん
けずりボカシフラミンゴ職人桃弥さん

お2人が仕事《しごと》した原稿《げんこう》をチェックするとき

売《う》り物《もの》みたいだー!!

とか本音《ほんね》で言ってしまう…。
ありがたいのです本当《ほんとう》に…。

D1499673

SHŌNEN CHAMPION COMICS

BEASTARS《ビースターズ》①

2017年 1 月15日　初版発行
2019年11月15日　22版発行

著　　者　板《いた》垣《がき》巴《ぱ》留《る》

発 行 者　石井健太朗

発 行 所　株式会社 秋田書店

〒102-8101　東京都千代田区飯田橋2-10-8
☎編集(03) 3265-7361　販売(03) 3264-7248
製作(03) 3265-7373
振替口座　00130-0-99353

印 刷 所　三報社印刷株式会社

ISBN978-4-253-22754-4